الحافِلَةُ المَدْرَسِيَّةُ العَجيبَةُ

سِلْسِلَةُ الغِذاءِ الغَريبَة

ISBN 978-0-439-85732-1

Copyright © 2003 by Joanna Cole and Bruce Degen. Published by Scholastic
Inc. All rights reserved. Written by Anne Capeci. Illustrated by John Speirs.
Designed by Peter Koblish.
SCHOLASTIC and associated logos are trademarks and/or registered
trademarks of Scholastic Inc.

Second Arabic Edition, 2006. Printed in China.

1 2 3 4 5 6 7 8 9 10 62 11 10 09 08 07

الحافِلَةُ المَدْرَسِيَّةُ العَجِيبَةُ

سِلْسِلَةُ الغِذاءِ الغَرِيبَةُ

تَأليفُ: جُوانا كول

رُسومُ : بروس دِغِن

راوَدَني بِأَنَّ الآنِسَةَ فائِزَةَ عازِمَةٌ عَلى تَنْظيمِ رِحْلَةٍ جامِحَةٍ. جامِحَةٌ هِيَ الكَلِمَةُ الْمُلائِمَةُ، لِأَنَّكُمْ لَنْ تُصَدِّقوا ما حَصَلَ...

الفَصْلُ الأَوَّلُ

أَجالَتْ دانيَةُ طَرْفَها مِنْ نَوافِذِ الحافِلَةِ الْمَدْرَسِيَّةِ العَجيبَةِ، وَقالَتْ: «سَتَكونُ رِحْلَتُنا إِلى مُتْحَفِ العُلومِ رائِعَةً! وَأَنا لا أُطيقُ الانْتِظارَ حَتّى بُلوغِ الْمَكانِ».

مِنَ البَديهِيِّ أَنْ يَصْعُبَ عَلى دانِيَةَ الانْتِظارُ، فَهِيَ مولَعَةٌ بِكُلِّ ما لَهُ عَلاقَةٌ بِالعُلومِ. بِأَيِّ حالٍ، كُنْتُ سَعيدًا لِأَنَّنا ذاهِبونَ في رِحْلَةٍ مَيْدانِيَّةٍ عادِيَّةٍ، وَلَوْ لِمَرَّةٍ واحِدَةٍ. وَلا بُدَّ مِنَ الذِّكْرِ أَنَّ شُعْبَةً ثانِيَةً، مِنْ تَلاميذِ صَفِّنا، سَتُشارِكُنا هذِهِ الرِّحْلَةَ، وَهذا يَعْني أَنَّ أَيَّ أَمْرٍ غَريبٍ مُسْتَبْعَدُ الْحُصولِ. فَالآنِسَةُ فائِزَةُ لَنْ تُجازِفَ بِالأَمْرِ، ما دامَ الْمُدَرِّسُ ناظِمٌ وَتَلامِذَتُهُ يُرافِقونَنا.

لَطالَما أَرَدْتُ أَنْ تَسيرَ الأُمورُ بِشَكْلٍ طَبيعِيٍّ. لكِنْ، هذِهِ الْمَرَّةَ، كانَ لَدَيَّ سَبَبٌ خاصٌّ. فَقَدْ كانَتِ ابْنَةُ خالَتي، جُمانَةُ، في ضِيافَتِنا، وَرَأى والِدايَ أَنَّها سَتَسْتَمْتِعُ بِمُرافَقَتِنا. وَقَدْ، أَمْضَتِ الوَقْتَ كُلَّهُ، فيما كُنّا في طَريقِنا إِلى الْمُتْحَفِ، وَهِيَ

تُطالِعُ مَوْسوعَةً عِلْمِيَّةً.

ومِنْ دونِ أَنْ تَرْفَعَ نَظَرَها عَنْ تِلْكَ الْمَوْسوعَةِ، خاطَبَتْنا قائِلَةً: «أَجْزِمُ أَنَّ مُتْحَفَ العُلومِ في بَلْدَتي أَكْبَرُ مِنْ ذاكَ الَّذي تَقْصِدونَهُ». ثُمَّ أَضافَتْ: «أَنا التِّلْميذَةُ الفُضْلى في مادَّةِ العُلومِ بَيْنَ رِفاقي».

رَدَّتْ رَشا بِصَوْتٍ عالٍ: «تَمامًا، كُما هُوَ الْحالُ مَعَ دانِيَةَ، في شُعْبَتِنا».

في هذِهِ الأَثْناءِ، كانَتْ دانيَةُ تُخْرِجُ أَحَدَ كُتُبِها مِنَ الحَقيبَةِ، فَابْتَسَمَتْ لِجُمانَةَ الَّتي لَمْ يَبْدُ أَنَّها لاحَظَتْ ذلِكَ.

اِسْتَأْنَفَتْ جُمانَةُ كَلامَها: «أَنا واثِقَةٌ بِأَنَّني في مادَّةِ العُلومِ أَفْضَلُ مِنْ أَيٍّ كانَ في مَدْرَسَتِكُمْ. فَمُدَرِّسَتي تَقولُ إِنَّ طُلاّبَ صَفِّنا يَسْبِقونَ طُلاّبَ الصُّفوفِ الأُخْرى بِثَلاثَةِ دُروسٍ».

يا إِلهي! لا يَهُمُّني مَنْ يَعْرِفُ أَكْثَرَ في مادَّةِ العُلومِ. فَكُلُّ ما أُريدُهُ هُوَ الوُصولُ إِلى الْمُتْحَفِ بِأَمانٍ! وَبَقيتُ عَلى أَمَلِ أَلاّ يَحْدُثَ شَيْءٌ غَيْرُ اعْتِيادِيٍّ.

هُنا، تَدَخَّلَ كَريْمٌ قائِلاً: «يَسُرُّنا أَنْ تَكوني مَعَنا، يا جُمانَةُ! فَكُلَّما كَثُرَ عَدَدُ الْمُتَفَوِّقينَ بَيْنَنا، كانَ ذلِكَ أَفْضَلُ، إِذْ عَلَيْنا أَنْ

نُحاوِلَ التَّفَوُّقَ عَلى تَلامِذَةِ الأُسْتاذِ ناظِمٍ في الْمُباراةِ العِلْمِيَّةِ حَوْلَ الأَغْذِيَةِ الغَريبَةِ».

شَرَحْتُ لِجُمانَةَ أَنَّ الأُسْتاذَ ناظِمًا يُدَرِّسُ الشُّعْبَةَ الأُخْرى مِنْ صَفِّنا، وَأَنَّهُ مُخْتَلِفٌ تَمامًا عَنِ الآنِسَةِ فائِزَةَ. فَعَمَلُهُ دائِمًا مُنَظَّمٌ، وَهُوَ لا يَقومُ أَبَدًا بِرِحْلاتٍ مَيْدانِيَّةٍ مُفاجِئَةٍ. كَما أَنَّهُ يَتَبارى دائِمًا وَالآنِسَةَ فائِزَةَ عَلى الأَفْضَلِيَّةِ بَيْنَ الشُّعْبَتَيْنِ. وَبِما أَنَّنا تَعادَلْنا في الْمُسابَقَةِ الأَخيرَةِ، فَنَحْنُ نَسْعَى هذِهِ الْمَرَّةَ إِلى الفَوْزِ.

نادَتِ الآنِسَةُ فائِزَةُ مِنْ مُقَدَّمَةِ الحافِلَةِ: «أَرْجو أَنْ يَكونَ الجَميعُ مُتَشَوِّقًا إِلى الإِجابَةِ عَنْ أَسْئِلَةٍ حَوْلَ عاداتِ الأَكْلِ لَدى حَيَواناتِ البَرِّيَّةِ. أَسْئِلَةُ الْمُسابَقَةِ سَيُوَزِّعُها الأُسْتاذُ ناظِمٌ عِنْدَما نَصِلُ إِلى الْمُتْحَفِ».

وَما إِنْ أَنْهَتِ الآنِسَةُ فائِزَةُ كَلامَها، حَتّى عَلَّقَ تامِرٌ مُتَجَهِّمًا: «هذا إِذا وَصَلْنا. فَإِنَّهُ يَبْدو، حَتّى الآنَ، أَنَّنا لَنْ نَصِلَ أَبَدًا».

كانَ مُحِقًّا تَمامًا بِشَأْنِ ذلِكَ. لَقَدْ مَضى عَلى وُجودِنا، في الحافِلَةِ الْمَدْرَسِيَّةِ العَجيبَةِ، ساعاتٌ عَلى الطَّريقِ، أَوْ هكَذا خُيِّلَ إِلَيَّ! كَما أَنَّني لَمْ أَسْتَطِعْ رُؤْيَةَ حافِلَةِ الشُّعْبَةِ الأُخْرى. وَما زادَ قَلَقي أَنَّني رَأَيْتُ عِظَةَ (عَظاءَةَ صَفِّنا أَوْ سِحْلِيَّتَهُ)، تَنْشُرُ أَمامَها

خَريطَةً كَبيرَةً، وَهِيَ تَحُكُّ رَأْسَها، وَراحَتْ تُديرُها، تارَةً إِلى هذِهِ الْجِهَةِ، وَطَوْرًا إِلى تِلْكَ.

تَأَوَّهْتُ مُلْقِيًا بِظَهْري إِلى الوَراءِ، وَقُلْتُ: «يا لَلْهَوْلِ! هَلْ أَضَعْنا الطَّريقَ؟ إِنْ لَمْ نَصِلْ إِلى الْمُتْحَفِ الآنَ، فَسَيَبْدَأُ الأُسْتاذُ ناظِمُ الْمُسابَقَةَ مِنْ دونِنا، وَسَتَفوزُ شُعْبَتُهُ!»

فَرَدَّتْ جُمانَةُ قائِلَةً: «إِنَّ مُدَرِّسَتي لا تُضَيِّعُ طَريقَها أَبَدًا».

كُنْتُ آمُلُ، فِعْلاً، أَلاَّ يُسَبِّبَ تَباهي جُمانَةَ، بِمَعْرِفَةِ كُلِّ شَيْءٍ، أَيَّ مُشْكِلَةٍ في رِحْلَتِنا الْمَيْدانِيَّةِ تِلْكَ. فَأَنا أَعْلَمُ مَدى شَغَفِها بِالتَّفاخُرِ أَمامَ الآخَرينَ. وَلكِنْ، لِحُسْنِ الْحَظِّ، لَمْ يَكُنْ أَحَدٌ يَسْمَعُها، لأَنَّ صَوْتَها قَدْ ضاعَ وَسْطَ كَرْكَرَةِ الجوعِ الصَّادِرَةِ مِنْ مِعَدِنا.

وَإِذا بِرائِفٍ يَقولُ: «أَلَمْ يَحِنْ وَقْتُ الغَداءِ؟ فَأَنا عاجِزٌ عَنِ التَّفْكيرِ مِنْ شِدَّةِ جوعي!»

وَهذا ما شَعَرْتُ بِهِ أَيْضًا. فَالأَلَمُ في مَعِدَتي جَعَلَني مُشَوَّشَ الذِّهْنِ، تَعِبًا. حَتّى عِظَةُ بَدَتْ جائِعَةً، إِذْ تَدَلّى لِسانُها خارِجَ فَمِها، وَحَولَتْ عَيْناها، فيما كانَتْ تَنْظُرُ في الخَريطَةِ، كَأَنَّها لا تَسْتَطيعُ الرُّؤْيَةَ بِوُضوحٍ.

نَظَرَتْ إِلَيْنا الآنِسَةُ فائِزَةُ مِنْ خِلالِ الْمِرْآةِ، وَقالَتْ: «أَيُّها التَّلامِذَةُ! عَلَيْنا أَنْ نَشْحَنَ طاقاتِنا بِتَناوُلِ بَعْضِ الطَّعامِ بِسُرْعَةٍ. وَلْنَتَوَقَّفْ عِنْدَ هذِهِ الْمَحَطَّةِ، لِلتَّزَوُّدِ بِالوَقودِ أَيْضًا».

كانَ وَقْعُ كَلامِها عَذْبًا كَالْموسيقى! فَلَمْ نُضَيِّعْ ثانِيَةً

مِنْ أَوْراقِ دانِيَة

كُلُّ الكائِناتِ الْحَيَّةِ بِحاجَةٍ إِلى الطّاقَةِ.
الطّاقَةُ هِيَ الَّتي تُحَرِّكُ الأَشْياءَ وَتُبَدِّلُها. فَهِيَ ضَرورَةٌ لِلْمَشْيِ، وَالرَّكْضِ، والتَّفْكيرِ، وَالتَّنَفُّسِ، وَالأَكْلِ، وَالنُّمُوِّ، وَلِلْقِيامِ بِأَيِّ شَيْءٍ آخَرَ!
ما مَصْدَرُ الطّاقَةِ؟ إِنَّهُ الطَّعامُ الَّذي نَأْكُلُهُ!
فَفي الطَّعامِ طاقَةٌ مُخَزَّنَةٌ.

في إِخْراجِ عُلَبِ الطَّعامِ. وَسُرْعانَ ما انْتَشَرَتْ رَوائِحُ الجُبْنِ اللَّذيذِ، وَالخُبْزِ الطّازَجِ، وَقِطَعِ اللَّحْمِ البارِدَةِ، وَسَلَطَةِ القُرَيْدِسِ، وَالْمَوْزِ، وَالحَليبِ، وَعَصيرِ الفاكِهَةِ... وَكُلِّ ما يَخْطُرُ في بالِكُمْ مِنْ أَطْعِمَةٍ!

نَظَرْتُ مِنَ النّافِذَةِ، وَإِذا بِالآنِسَةِ فائِزَةَ تَتَحَدَّثُ مَعَ عامِلِ مَحَطَّةِ الوَقودِ وَهِيَ تَحْمِلُ خَريطَةً عِظَةً. وَشَعَرْتُ بِالارْتِياحِ عِنْدَما أَدْرَكْتُ بِأَنّنا، لا شَكَّ، مُهْتَدونَ إِلى الطَّريقِ الصَّحيحِ قَريبًا، وَرُبَما صارَ في مَقْدورِنا، إِدْراكُ تَلامِذَةِ الأُسْتاذِ ناظِمٍ، قَبْلَ وُصولِهِمْ إِلى الْمُتْحَفِ.

وَعِنْدَما عادَتِ الآنِسَةُ فائِزَةُ إِلى الْحافِلَةِ، أَلْقَتْ نَظْرَةً عَلَيْنا فيما كُنّا نَأْكُلُ. وَقالَتْ: «التَّنْويعُ نَكْهَةُ الْحَياةِ. فَمِنْ حُسْنِ حَظِّنا، نَحْنُ البَشَرَ، أَنَّنا نَسْتَطيعُ الحُصولَ عَلى طَعامِنا مِنْ جَميعِ حَلَقاتِ سِلْسِلَةِ الغِذاءِ».

فَتَدَخَّلَتْ جُمانَةُ قائِلَةً: «إِنَّني خَبيرَةٌ في مَوْضوعِ سَلاسِلِ الغِذاءِ، مُذْ كُنْتُ في مَرْحَلَةِ الرَّوْضَةِ».

نَظَرَ تامِرٌ بِفُضولٍ إِلى التُّفّاحَةِ، وَشَطيرَةِ النَّقانِقِ في حِضْنِهِ، ثُمَّ

قالَ: «أَتَعْنينَ أَنَّ هذا الطَّعامَ يَأْتي مِنَ سِلْسِلَة غِذاءٍ؟ كُنْتُ أَظُنُّ أَنَّ مَصْدَرَهُ الْمَتْجَرُ الكَبيرُ (السُّوبِرْمارْكِتُ) حَيْثُ اشْتَرَتْهُ أُمّي».

فَأَجابَتْ دانِيَةُ: «هذا صَحيحٌ. لكِنَّ مَصْدَرَ الأَغْذِيَةِ الَّتي تَشْتَريها مِنَ الْمَتاجِرِ هُوَ النَّباتاتُ وَالحَيَواناتُ. فَسِلْسِلَةُ الغِذاءِ تُبَيِّنُ كَيْفَ أَنَّ الحَيَواناتِ تَأْكُلُ النَّباتَ وَحَيَواناتٍ أُخْرَى لِتَتَغَذّى». ثُمَّ أَخْرَجَتْ مِنْ حَقيبَتِها أَحَدَ كُتُبِ الْمَكْتَبَةِ، وَقالَتْ: «عَلى الأَقَلِّ، هذا ما هُوَ مَذْكورٌ في البَحْثِ العِلْميِّ الَّذي أَجْرَيْتُهُ».

وَكَما سَبَقَ وَذَكَرْتُ، فَإِنَّ دانِيَةَ الَّتي تُحِبُّ مادَّةَ العُلومِ وَالقِيامَ بِالأَبْحاثِ، قَدْ فَتَحَتِ الكِتابَ، وَأَرَتْنا إِحْدَى صَفَحاتِهِ، ثُمَّ أَكْمَلَتْ حَديثَها: «كِتابي يَحْتَوي عَلى صورَةٍ لِسِلْسِلَةِ الغِذاءِ، أَفْضَلَ مِنْ تِلْكَ».

رَدَّتِ الآنِسَةُ فائِزَةُ بِالقَوْلِ: «لَعَلَّ أَهَمَّ ما نَتَصَوَّرُهُ هُوَ أَنَّ سَلاسِلَ الغِذاءِ هِيَ وَسيلَةُ الطَّبيعَةِ لِتَوْفيرِ الطّاقَةِ إِلى جَميعِ الكائِناتِ الْحَيَّةِ».

فَقالَتْ دانِيَةُ: «هذا صَحيحٌ». لَقَدْ قَرَأْتُ أَنَّ لَدى جَميعِ الْكائِناتِ الْحَيَّةِ طاقَةً. وَعِنْدَما يَأْكُلُ أَحَدُها الآخَرَ، فَإِنَّهُ يَمْتَصُّ بَعْضًا مِنْ طاقَتِهِ. وَهكَذا، فَالغَزالُ يَحْصُلُ عَلى الطّاقَةِ مِنَ

تَتَكَوَّنُ سِلْسِلَةُ الغِذاءِ مِنْ مَجْموعَةٍ مِنَ الكائِناتِ الحَيَّةِ. وَهِيَ تَبْدَأُ، عادَةً، بِنَباتٍ يَأْكُلُهُ حَيَوانٌ. وَهذا الْحَيَوانُ يَأْكُلُهُ، بِدَوْرِهِ، حَيَوانٌ أَكْبَرُ. وَهذا أَيْضًا يُمْكِنُ أَنْ يَكونَ غِذاءَ حَيَوانٍ أَكْبَرَ مِنْهُ حَجْمًا.

إِنَّ كُلَّ نَباتٍ أَوْ حَيَوانٍ هُوَ عِبارَةٌ عَنْ حَلْقَةٍ في سِلْسِلَةِ الغِذاءِ.

الْعُشْب، وَالْكُوغَرُ (الْأَسَدُ الْأَمْرِيكِيُّ) مِنَ الْغِزَالِ».

فَقَالَتْ جُمَانَةُ: «جَمِيعُنَا يَعْرِفُ ذَلِكَ».

أُفٍّ! يَكْفِينِي خَبِيرٌ وَاحِدٌ فِي الْعُلُومِ. وَهَا قَدْ أَصْبَحَ لَدَيْنَا الْآنَ خَبِيرَانِ اثْنَانِ. بَلْ أَكْثَرُ مِنْ ذَلِكَ، إِنَّهُمَا يَتَنَافَسَانِ! لِمَ أَرْغَمَنِي أَهْلِي عَلَى إِحْضَارِ جُمَانَةَ مَعِي؟ كَانَ يَنْبَغِي أَنْ تَبْقَى فِي الْبَيْتِ. وَتَمْتَمْتُ: «يُمْكِنُ أَنْ تَكُونَ هَذِهِ الرِّحْلَةُ الْمَيْدَانِيَّةُ طَوِيلَةً».

قَضَمَ كَرِيمٌ تُفَّاحَتَهُ، وَقَالَ: «هَذَا يُفَسِّرُ سَبَبَ حُصُولِي عَلَى شِحْنَةٍ مِنْ خِلَالِ الْأَكْلِ... أَعْنِي شِحْنَةَ طَاقَةٍ».

فَعَلَّقَتْ رَشَا قَائِلَةً: «هَذَا مُضْحِكٌ جِدًّا، يَا كَرِيمُ! لَكِنْ، مِنْ أَيْنَ تَحْصُلُ تُفَّاحَتُكَ عَلَى طَاقَتِهَا؟»

أَجَابَتْهَا الْآنِسَةُ فَائِزَةُ شَارِحَةً: «سُؤَالٌ وَجِيهٌ! إِنَّ الطَّاقَةَ الْمَوْجُودَةَ فِي النَّبَاتَاتِ، وَتِلْكَ الْمَوْجُودَةَ فِي الطَّعَامِ الَّذِي نَشْتَرِيهِ مِنَ الْمَحَالِّ، تَعُودَانِ إِلَى مَصْدَرٍ وَاحِدٍ سَلَاسِلَ الْغِذَاءِ، وَهُوَ مَصْدَرُ الطَّاقَةِ الْوَحِيدُ عَلَى الْأَرْضِ».

تَسَاءَلَ رَائِفٌ مَازِحًا: «أَهِيَ ثَلَّاجَةٌ ضَخْمَةٌ؟»

أَجَابَتْهُ دَانِيَةُ: «لَا، يَا رَائِفُ، إِنَّهَا الشَّمْسُ!»

مَصْدَرُ الطّاقَةِ

بِقَلَمِ رَنْدَة

الشَّمْسُ مَصْدَرُ الطّاقَةِ لِجَميعِ الْكائِناتِ الحَيَّةِ: النَّباتاتِ وَالحَيَواناتِ.فَحَرارَةُ الشَّمْسِ تُبْقي كَوْكَبَنا دافِئًا،وَالضَّوْءُ يُساعِدُ النَّباتَ عَلى تَوْليدِ الطّاقَةِ الَّتي تَعْتَمِدُ عَلَيْها كُلُّ الكائِناتِ الْحَيَّةِ، مِنْ أَجْلِ العَيْشِ وَالنُّمُوِّ.

فَسَأَلْتُ مُسْتَغْرِبًا: «لا أَفْهَمُ ذلِكَ. كَيْفَ يُمْكِنُ الطّاقَةَ الشَّمْسِيَّةَ أَنْ تَدْخُلَ شَطيرَتي؟!»

أَعْتَقِدُ أَنَّ الآنِسَةَ فائِزَةَ لَمْ تَسْمَعْني، لِأَنَّها قالَتْ: «اِلْزَموا مَقاعِدَكُمْ، أَيُّها الطُّلاّبُ!» وَجَلَسَتْ عَلى مَقْعَدِ القِيادَةِ، وَأَدارَتِ الْمُحَرِّكَ. لَقَدْ بَدَتْ في عَجَلَةٍ مِنْ أَمْرِها. وَالآنَ، وَقَدْ أَخَذْنا شِحْنَةً مِنَ الطّاقَةِ بَعْدَ طَعامِ الغَداءِ، أَصْبَحَ بِإِمْكانِنا اللَّحاقُ بِتَلامِذَةِ الأُسْتاذِ ناظِمٍ، وَالبَدْءُ بِالْمُسابَقَةِ العِلْمِيَّةِ حَوْلَ الأَغْذِيَةِ الغَريبَةِ.

كُنْتُ أَظُنُّ أَنَّنا مُتَّجِهونَ نَحْوَ مُتْحَفِ العُلومِ. لكِنْ، في لَحْظَةِ الانْطِلاقِ، حَدَثَ أَمْرٌ شَديدُ الغَرابَةِ، إِذْ قالَتْ فاتِنُ:

«أَعْتَقِدُ أَنَّ الْحافِلَةَ قَدْ حَصَلَتْ عَلى طاقَةٍ إِضافِيَّةٍ أَيْضًا... إِنَّنا نُقْلِعُ!»

كانَتْ فاتِنُ تَعْني بِـ «نُقْلِعُ» أَنَّنا نُقْلِعُ مِنَ الأَرْضِ. فَقَدِ ارْتَفَعَتْ مُقَدَّمَةُ الحافِلَةِ في الفَضاءِ.

انْطَلَقْنا بِسُرْعَةٍ كَبيرَةٍ. نَظَرَ كَريْمٌ وَعَيْناهُ نِصْفُ مُغْمَضَتَيْنِ، إِلى النّورِ الباهِرِ الَّذي اخْتَرَقَ نَوافِذَ الْحافِلَةِ، وَقالَ: «هذا ما أُسَمّيهِ رِحْلَةً اسْتِطْلاعِيَّةً نَيِّرَةً... إِنَّنا نَنْدَفِعُ نَحْوَ الشَّمْسِ».

الفَصْلُ الثّاني

اِرْتَفَعَتِ الْحافِلَةُ عَبْرَ السُّحُبِ البَيْضاءِ الكَبيرَةِ. وَسُرْعانَ ما أَصْبَحَتْ مَحَطَّةُ الوَقودِ، حَيْثُ تَوَقَّفْنا، مُجَرَّدَ نُقْطَةٍ صَغيرَةٍ بَعيدَةٍ جِدًّا تَحْتَنا.

فَقالَتْ دانِيَةُ مُتَحَسِّرَةً: «لَنْ نَتَمَكَّنَ بَعْدَ الآنَ مِنَ الفَوْزِ عَلى صَفِّ الأُسْتاذِ ناظِم، في الْمُسابَقَةِ العِلْمِيَّةِ حَوْلَ الأَغْذِيَةِ الغَريبَةِ!»

فَعَقَّبَتِ الآنِسَةُ فائِزَةُ عَلى كَلامِها بِالقَوْلِ: «لا تَقْلَقوا، أَيُّها التَّلامِذَةُ، فَأَنا واثِقَةٌ بِأَنَّ الطَّبيعَةَ قادِرَةٌ عَلى أَنْ تَمْنَحَنا ما نَحْتاجُ إِلَيْهِ مِنْ عُلومٍ».

وَما إِنْ أَنْهَتْ كَلامَها، حَتّى بَدَأَ كُلُّ شَيْءٍ في الْحافِلَةِ يَتَغَيَّرُ. فَتَحَوَّلَتِ الْمَقاعِدُ العادِيَّةُ إِلى مَقاعِدَ مُنَجَّدَةٍ بِالقُماشِ الأَحْمَرِ، وَبَرَزَتْ بَيْنَها طاوِلاتٌ، عَلى كُلٍّ مِنْها: قَناني صَلْصَةِ البَنْدورَةِ، وَرَجّاجاتُ الْمِلْحِ وَالبَهارِ، وَلائِحَةُ طَعامٍ. كَما ظَهَرَتْ

آلَةُ الحاكي لِلْموسيقى «جوكْبُكْس» ، في مُقَدَّمَةِ الْحافِلَةِ.

وَإِذْ ظَهَرَتْ، فَوْقَ لَوْحَةِ القِيادَةِ، لافِتَةٌ ضَوْئِيَّةٌ كُتِبَ عَلَيْها «مَقْهى اللُّقْمَةِ الشَّهِيَّةِ»، قالَ تامِرٌ: «لَقَدْ تَحَوَّلَتِ الْحافِلَةُ الْمَدْرَسِيَّةُ العَجيبَةُ إِلى حافِلَةِ مَطْعَمٍ».

فَسَأَلْتُ مُسْتَغْرِبًا: «حافِلَةُ مَطْعَمٍ مُحَلِّقَةٌ؟» ثُمَّ نَظَرْتُ إِلى جُمانَةَ وَأَنا أُفَكِّرُ: كَيْفَ أُفْهِمُها ما حَصَلَ؟

وَإِذْ ذاكَ، فوجِئْتُ بِسُؤالِها: «وَماذا عَنْ مُتْحَفِ العُلومِ؟ لَطالَما حَرِصَتْ مُعَلِّمَتي عَلى تَنْفيذِ ما تُخَطِّطُ لَهُ بِدِقَّةٍ».

عادَةً، إِنَّ الرِّحْلاتِ الاِسْتِطْلاعِيَّةَ الغَريبَةَ الَّتي تُنَظِّمُها الآنِسَةُ فائِزَةُ تَدْفَعُني إِلى الاِخْتِباءِ تَحْتَ مَقاعِدِ الْحافِلَةِ. وَكَمْ تَمَنَّيْتُ الذَّهابَ، وَلَوْ مَرَّةً واحِدَةً، في رِحْلَةٍ مَدْرَسِيَّةٍ عادِيَّةٍ. وَلكِنْ، عَلى الرَّغْمِ مِنْ كُلِّ ذلِكَ، أَمَلْتُ أَنْ تَتَخَلّى جُمانَةُ عَنِ انْتِقادِها الْمُتَواصِلِ الآنِسَةَ فائِزَةَ، وَالْحافِلَةَ العَجيبَةَ. عَلى كُلِّ حالٍ، لَمْ يُبْدِ أَحَدٌ انْزِعاجًا مِنْ آرائِها، إِذْ كانَ الجَميعُ مُنْهَمِكًا بِتَمْتيعِ نَظَرِهِ بِالْمَظْهَرِ الجَديدِ لِلْحافِلَةِ.

الْتَقَطَ رائِفٌ لائِحَةَ طَعامٍ، وَقالَ عابِسًا: «انْظُروا، لا أَسْماءَ لِأَطْباقِ طَعامٍ عَلى هذِهِ اللائِحَةِ. كُنْتُ أَتَمَنّى الْحُصولَ عَلى

بَعْضِ العُقْبَةِ». (حَلْوى أَوْ فاكِهَةٍ يُخْتَمُ بِها الطَّعامُ)

فَسارَعْتُ إِلى القَوْلِ: «حَقًّا؟» قُلْتُها وَأَنا أَنْظُرُ إِلى اللاّئِحَةِ الْمَوْجودَةِ عَلى الطّاوِلَةِ، بَيْني وَبَيْنَ جُمانَةَ. تَتَحَدَّثونَ عَنِ الغَرائِبِ... أَتَوَدّونَ سَماعَ أَمْرٍ غَريبٍ؟ لَمْ تَكُنْ هذِهِ اللاّئِحَةُ تَضُمُّ أَصْنافَ طَعامٍ. لكِنَّ ما تَضَمَّنَتْهُ فاجَأَني حَقًّا.

ثُمَّ أَرْدَفْتُ قائِلاً: «هذِهِ هِيَ قَسيمَةُ الْمُباراةِ العِلْمِيَّةِ حَوْلَ الأَغْذِيَةِ الغَريبَةِ.

فَسَأَلَتْ دانِيَةُ، وَقَدْ غَمَرَتْها الْمُفاجَأَةُ: «أَهذِهِ هِيَ الأَسْئِلَةُ الَّتي يَتَوَجَّبُ عَلَيْنا الإِجابَةُ عَنْها في مُتْحَفِ العُلومِ؟»

نَظَرَتْ دانِيَةُ إِلى اللاّئِحَةِ الْمَوْضوعَةِ عَلى طاوِلَتِها، وَقالَتْ بِابْتِسامَةٍ عَريضَةٍ: «نَعَمْ، يَبْدو أَنَّ فُرْصَةَ الانْتِصارِ عَلى تَلامِذَةِ الأُسْتاذِ ناظِمٍ لَمْ تَفُتْ، مِنْ أَمامِنا، بَعْدُ».

تَضَمَّنَتِ اللائِحَةُ سِتَّةَ أَسْئِلَةٍ. وَهِيَ لَيْسَتْ مُجَرَّدَ أَسْئِلَةٍ، وَإِنَّما أَلْغازٌ! قَرَأْتُ، أَنا وَجُمانَةُ، اللُّغْزَ الأَوَّلَ:

الأَغْذِيَةِ الغَريبَةِ – اللُّغْزُ الأَوَّلُ

هذِهِ الْمادَّةُ تَصْنَعُ اللَّوْنَ الأَخْضَرَ في النَّباتاتِ الْخُضْرِ، وَتُساعِدُها عَلى حَبْسِ ضَوْءِ الشَّمْسِ، وَاسْتِعْمالِهِ لِتَوْليدِ الطّاقَةِ الغِذائِيَّةِ لِكُلِّ الْكائِناتِ الحَيَّةِ. فَما هِيَ؟

الجَوابُ: ____________________

مَقهى
اللُّقْمَةُ الشَّهيَّةُ
أَلْغازُ الأَغْذِيَةِ
في الْمَرَّةِ التّالِيَةِ، سَأَطْلُبُ رِحْلَةً مَيْدانِيَّةً عادِيَّةً.

سارَعَتْ جُمانَةُ إِلى القَوْلِ: «بِالتَّأْكيدِ، سَأَكونُ أَوَّلَ مَنْ يَصِلُ إِلى الْجَوابِ الصَّحيحِ. فَمُعَلِّمَتي تَقولُ إِنَّ كُتُبَ الْبَحْثِ العِلْميِّ الْخاصَّةَ بي هِيَ الفُضْلى». ثُمَّ فَتَحَتْ مَوْسوعَتَها العِلْمِيَّةَ، وَبَدَأَتِ القِراءَةَ.

وَإِذا بِصَوْتِ الآنِسَةِ فائِزَةَ يَرِنُّ في آذانِنا: «كُنْتُ أُفَكِّرُ في شَيْءٍ أَكْثَرَ تَنْويرًا ثَقافِيًّا... أَيُّها التَّلامِذَةُ! لِنَقُمْ بِرُكوبِ شُعاعٍ مِنْ أَشِعَّةِ الشَّمْسِ».

ثُمَّ ضَغَطَتْ عَلى أَحَدِ الأَزْرارِ، فَأَصْدَرَتِ الْحافِلَةُ العَجيبَةُ صَوْتًا مُزْعِجًا، ثُمَّ بَدَأَتْ تَتَقَلَّصُ وَتَتَقَلَّصُ، إِلى أَنْ بَلَغَ حَجْمُنا حَجْمَ ذَرَّةِ شُعاعٍ مِنْ أَشِعَّةِ الشَّمْسِ الْمُتَّجِهَةِ نَحْوَ الأَرْضِ.

وَصاحَتِ الآنِسَةُ فائِزَةُ مُبْتَهِجَةً، فيما كُنّا مُنْدَفِعينَ بِسُرْعَةِ البَرْقِ عَلى إِشْعاعِ الشَّمْسِ اللاّمِعِ. ثُمَّ خاطَبَتْنا قائِلَةً: «أَيُّها

التّلامِذَةُ! إِنَّ هذا الضَّوْءَ الجميلَ يَمُدُّ الكائناتِ الْحَيَّةَ بِكُلِّ الطّاقَةِ الَّتي تَحْتاجُ إِلَيْها لِلْحياةِ وَالنُّموِّ».

نَظَرْنا بِعُيونٍ طارِفَةٍ إِلى الوَهْجِ البَرّاقِ، ما عَدا جُمانَةَ الَّتي كانَتْ مُنْهَمِكَةً في القِراءَةِ، فَلَمْ تَرْفَعْ عَيْنَيْها عَنْ كِتابِها.

وَكانَتْ رَنْدَةُ هِيَ مَنْ بادَرَ إِلى الكَلامِ، فَسَأَلَتْ: «لَمْ أَفْهَمْ، بَعْدُ، كَيْفَ نُحَوِّلُ ضَوْءَ الشَّمْسِ إِلى غِذاءٍ؟»

فَأَجابَتْها الآنِسَةُ فائِزَةُ: «نَحْنُ لا يُمْكِنُنا فِعْلُ ذلِكَ، بَلِ النَّباتاتُ الخَضْراءُ الَّتي تَمْلأُ كَوْكَبَنا هِيَ الَّتي تَقومُ بِذلِكَ».

عِنْدَها، صاحَ تامِرٌ، وَهُوَ يُشيرُ إِلى الخارِجِ: «يا لَلرَّوْعَةِ! تَأَمَّلوا هذا الاخْضِرارَ!»

كانَ شُعاعُ الشَّمْسِ الَّذي نَرْكَبُهُ مُتَّجِهًا كَالصّاروخِ نَحْوَ حَقْلٍ كَبيرٍ، وَسْطَ الغاباتِ. وَبَدا العُشْبُ كَبَحْرٍ أَخْضَرَ لا نِهايَةَ لَهُ. وَكُلَّما اقْتَرَبْنا أَكْثَرَ، كُنْتُ أُشاهِدُ العُشْبَ، وَالْمَزيدَ الْمَزيدَ مِنَ البِرْسيمِ (نَباتِ النَّفَلِ). كانَ حَجْمُنا صَغيرًا، بِحَيْثُ أَنَّ كُلَّ وَرَقَةِ بِرْسيمٍ مُسْتَديرَةٍ كانَتْ تَبْدو أَشْبَهَ بِمَنَصَّةِ هُبوطٍ هائِلَةِ الْحَجْمِ.

صَرَخَتْ فاتِنُ مُرْتَعِبَةً: يا لَلْهَوْلِ! سَوْفَ نَصْطَدِمُ بِالأَرْضِ!

هذِهِ هِيَ، حَقًّا، الْمَرْحَلَةُ الَّتي لا أُحِبُّها في رِحْلاتِ الآنِسَةِ

فائِزَةَ الْمَيْدانِيَّةِ. لَمْ يَكُنْ أَمامي سِوى التَّشَبُّثِ جَيِّدًا، بِانْتِظارِ الهُبوطِ العَنيفِ عَلى الوَرَقَةِ.

غَيْرَ أَنَّنا لَمْ نَرْتَطِمْ بِالوَرَقَةِ إِطْلاقًا. فَقَدِ اخْتَرَقَتِ الْحافِلَةُ، مَعَ شُعاعِنا الشَّمْسيِّ، وَرَقَةَ البِرْسيمِ، بِمُجَرَّدِ ارْتِطامِنا بِها، وَصِرْنا في داخِلِها.

سُؤالٌ وَجَوابٌ مِنْ كَريمٍ

سُؤالٌ: ما هُوَ اليَخْضورُ؟

جَوابٌ: اليَخْضورُ مادَّةٌ مَوْجودَةٌ في النَّباتاتِ الْخَضْراءِ، وَالطَّحالِبِ البَحْرِيَّةِ، وَبَعْضِ أَنْواعِ البَكْتيرْيا فَحَسْبُ.

هُنا، سَأَلَ كَريْمٌ: «مَنِ الَّذي أَشْعَلَ الأَنْوارَ الخَضْراءَ؟»

فَأَجابَتْهُ الآنِسَةُ فائِزَةُ: «إِنَّ مَصْدَرَ اللَّوْنِ الأَخْضَرِ هُوَ مادَّةُ اليَخْضورِ (الكلوروفِل) الْمَوْجودَةُ في وَرَقَةِ البِرْسيمِ». وَأَشارَتْ إِلى بَعْضِ حُزَمِ العَناقيدِ الخَضْراءِ، داخِلَ وَرَقَةِ البِرْسيمِ. ثُمَّ أَضافَتْ: «إِنَّ اليَخْضورَ، بِلا شَكٍّ، يُضيفُ اللَّوْنَ إِلى حَياةِ النَّباتِ، وَلَهُ وَظيفَةٌ أُخْرَى أَيْضًا- وَظيفَةٌ أَهَمُّ بِكَثيرٍ مِنَ الأُولى».

قالَتْ جُمانَةُ: «هذا الضَّوْءُ الأَخْضَرُ الغَريبُ يُعيقُني عَنْ

مُتابَعَةِ القِراءَةِ، لِمَعْرِفَةِ السَّبَبِ الَّذي يَجْعَلُ النَّباتاتِ خَضْراءَ اللَّوْنِ». ثُمَّ عَبَسَتْ، وَقَرَّبَتِ الكِتابَ مِنْ عَيْنَيْها.

فَقالَتْ دانِيَةُ: «يُمْكِنُنا أَنْ نَتَجاوَزَ القِراءَةِ إِلى الْمُشاهَدَةِ عِيانًا». وَأَشارَتْ إِلى الْعَناقيدِ الخَضْراءِ مِنْ خِلالِ نَوافِذِ الْحافِلَةِ. ثُمَّ أَضافَتْ: «إِنَّ اليَخْضورَ يُتيح للنَّباتِ تَخْزينَ الأَشِعَّةِ، وَتَحْويلَها إِلى طاقَةٍ غِذائِيَّةٍ يَحْتاجُ إِلَيْها الحَيَوانُ وَالنَّباتُ».

أَثْنَتِ الآنِسَةُ فائِزَةُ عَلى كَلامِ دانِيَةَ، بِقَوْلِها: «هذا صَحيحٌ، فَالحَيَواناتُ لا تَسْتَطيعُ تَحْويلَ طاقَةِ الشَّمْسِ إِلى غِذاءٍ، لأَنَّ أَجْسامَها خالِيَةٌ مِنَ اليَخْضورِ، عَلى عَكْسِ النَّباتِ».

وَما إِنْ سَمِعَتْ رَشا ذلِكَ، حَتَّى أَشْرَقَ وَجْهُها، وَقالَتْ: «إِذًا، اليَخْضورُ هُوَ جَوابُ اللُّغْزِ الأَوَّلِ».

تَهَلَّلَ وَجْهُ الآنِسَةِ فائِزَةَ، وَقالَتْ: «أَحْسَنْتِ، يا رَشا!»

في هذِهِ اللَّحْظَةِ، أَشارَتْ جُمانَةُ إِلى مَوْضِعٍ في مَوْسوعَتِها العِلْمِيَّةِ، وَقالَتْ: «وَجَدْتُها... اليَخْضورُ هُوَ الجَوابُ. فَهُوَ الَّذي يَجْعَلُ النَّباتَ أَخْضَرَ، وَهُوَ الَّذي يُخَزِّنُ طاقَةَ الشَّمْسِ».

فَعَلَّقَ كَريمٌ ساخِرًا: «هَلْ ثَمَّةَ صَدًى هُنا؟»

لَمْ أُصَدِّقْ أُذُنَيَّ. لَقَدْ كانَتْ جُمانَةُ مُنْهَمِكَةً في القِراءَةِ، فَلَمْ

تُدْرِكُ أَنَّنا قَدْ وَجَدْنا جَوابَ اللُّغْزِ!

مَلَأَتْ جُمانَةُ الْفَراغَ الْمَوْجودَ عَلى لائِحَةِ أَلْغازِ الْأَغْذِيَةِ الْغَريبَةِ، وَقالَتْ: «أَنا واثِقَةٌ بِأَنَّني سَأَكْتَشِفُ الْمَزيدَ مِنَ الْإِجاباتِ الصَّحيحَةِ، أَكْثَرَ مِنْ أَيِّ شَخْصٍ آخَرَ.» ثُمَّ نَظَرَتْ إِلى دانِيَةَ نِظْرَةَ اعْتِدادٍ بِالنَّفْسِ، وَراحَتْ تَقْرَأُ اللُّغْزَ الثَّانِيَ.

الْأَغْذِيَةُ الْغَريبَةُ – اللُّغْزُ الثَّاني

تَتَّبِعُ النَّباتاتُ هذِهِ الوَصْفَةَ لِصُنْعِ طَعامِها:

أُمْزُجْ مَعًا: ضَوْءَ الشَّمْسِ، الْيَخْضورَ، الْماءَ، وغازَ ثاني أُكْسيدِ الْكَرْبونِ، فَتَتَكَوَّنُ طاقَةُ الْكَرْبوهَيْدْراتِ (النَّشَوِيّاتِ).

ما اسْمُ هذِهِ الْعَمَلِيَّةِ؟

الجوابُ: _____

أَثارَ هذا اللُّغْزُ حَيْرَتي، أَكْثَرَ مِنْ سابِقِهِ، وَقُلْتُ: «الطَّعامُ، الطَّعامُ، الطَّعامُ. لا نَزالُ نَسْمَعُ الكَثيرَ عَنْ صُنْعِ النَّباتِ طَعامِهِ، وَلكِنَّني لا أَرى شَيْئًا لِنَأْكُلَهُ».

لَمَعَتْ عَيْنا الآنِسَةِ فائِزَةَ، وَقالَتْ: «لِنُغامِرْ قَليلاً. تَهَيَّأُوا لِطَهْوِ بَعْضِ الْأَطْعِمَةِ النَّباتِيَّةِ!»

ثُمَّ فَتَحَتْ بابَ الْحافِلَةِ، وَخَرَجْنا مِنْها جَميعًا مُسْرِعينَ. طَفا

كُلٌّ مِنَ الآنِسَةِ فائِزَةَ وَكَريم وَجُمانَةَ وَرائِفٍ وَفاتِنَ، فَوْقَ بَعْضِ الْمِياهِ الَّتي انْسابَتْ عَلى وَرَقَةِ البِرْسيم، مِنَ الجُذورِ وَالسّيقانِ. أَمّا أَنا وَدانِيَةُ وَرَشا وَتامِرٌ وَرَنْدَةُ، فَقَدْ هَبَطْنا عَلى بَعْضِ الفَقاقيعِ

ما هُوَ طَعامُ الغَداءِ؟ نَشَوِيّاتٌ!

بِقَلَمِ تامِرٍ

مُعْظَمُ الطَّعامِ الَّذي نَأْكُلُهُ يَحْتَوي عَلى النَّشَوِيّاتِ الَّتي يُمْكِنُها تَخْزينُ الطّاقَةِ. وَجَميعُ الحَيَواناتِ وَالنَّباتاتِ تَحْتاجُ إِلى النَّشَوِيّاتِ لِلْعَيْشِ وَالنُّمُوِّ. وَتَتَكَوَّنُ جَميعُ النَّشَوِيّاتِ مِنَ الكَرْبونِ وَالْهيْدروجِنِ وَالأُكْسيجِنِ.

الغازِيَّةِ الَّتي تَسَرَّبَتْ مِنْ بَعْضِ الثُّقوبِ، في أَسْفَلِ وَرَقَةِ البِرْسيم.

لَقَدْ أَثْمَرَ تَعَلُّقُ جُمانَةَ وَدانِيَةَ بِكُتُبِهِما. وَوَجَدْتُ نَفْسي، أَنا الآخَرُ، مُتَعَلِّقًا بِشَيْءٍ مُخْتَلِفٍ: لائِحَةِ أَلْغازِ الأَغْذِيَةِ الغَريبَةِ.

قالَتْ جُمانَةُ بِتَذَمُّرٍ: «مُعَلِّمَتي لا تَقومُ بِمُفاجَآتٍ عَشْوائِيَّةٍ». ثُمَّ مَسَحَتْ بُقْعَةَ ماءٍ عَنْ كِتابِها، وَاسْتَأْنَفَتْ حَديثَها: «كَيْفَ يُمْكِنُني إِجْراءُ بَحْثٍ عِلْميٍّ عَنِ النَّباتاتِ الَّتي تَصْنَعُ الغِذاءَ، وَسْطَ كُلِّ هٰذِهِ الأَوْساخِ وَالفَوْضى؟»

أَجابَتْها رَنْدَةُ: «إِنَّها لَيْسَتْ مُجَرَّدَ فَوْضى وَأَوْساخٍ، وَإِنَّما

هِيَ ماءٌ وَثاني أُكْسيدِ الكَرْبونِ. وَهذانِ هُما الْمُكَوِّنانِ اللَّذانِ يَحْتاجُ إِلَيْهِما النَّباتُ، لِصُنْعِ الطَّعامِ... أَتَذْكُرينَ ذلِكَ؟»

فَأَجابَتْ جُمانَةُ: «طَبْعًا، أَعْرِفُ ذلِكَ. فَكُلُّ الْمَعْلوماتِ اللاّزِمَةِ مَوْجودٌ في كِتابي هذا».

يَبْدو أَنَّها لَمْ تُدْرِكْ أَنَّ الْمَعْلوماتِ لَيْسَتْ مَحْصورَةً في كِتابِها، بَلْ هِيَ في كُلِّ مَكانٍ حَوْلَنا. وَشَعَرْتُ، بِأَنَّ الجَوابَ عَنِ اللُّغْزِ الثّاني بَدَأَ يَتَبَلْوَرُ أَمامَ أَعْيُنِنا.

لَقَدْ كانَ حَجْمُنا صَغيرًا جِدًّا، بِحَيْثُ هَبَطْنا عَلى الجُزَيْئاتِ الصَّغيرَةِ الَّتي كَوَّنَتِ الْماءَ وَغازَ ثانِيَ أُكْسيدِ الكَرْبون في الوَرَقَةِ. جَذَبْتُ إِحْدَى هذِهِ الجُزَيْئاتِ، وَأَمْسَكْتُ بِها بِقُوَّةٍ.

إِنَّ أَشِعَّةَ الشَّمْسِ وَاليَخْضورَ جَعَلا كُلَّ شَيْءٍ حَوْلَنا يَبْدو مُشْرِقًا أَخْضَرَ. وَطاقَةُ الشَّمْسِ الحارَّةُ جَعَلَتْ ذَرّاتِنا تَرْتَجُّ بِقُوَّةٍ. وَكُلَّما ارْتَفَعَتْ حَرارَتُها، تَضاعَفَتْ سُرْعَتُها.

ثُمَّ خاطَبَنا رائِفٌ مُحَذِّرًا: «لا تَنْظُروا الآنَ، فَإِنَّ هذِهِ الجُزَيْئاتِ تَنْقَسِمُ، مُتَباعِدَةً عَنْ بَعْضِها».

كانَ رائِفٌ مُصيبًا. فَشَيْءٌ ما كانَ عَلى وَشْكِ الحُدوثِ. لَقَدْ أَدْرَكْتُ، الآنَ، كَيْفَ تَتَّحِدُ الذَّرّاتُ، لِتُشَكِّلَ جُزَيْئاتٍ.

مِنْ أَوْراقِ الآنِسَةِ فائِزَة

الذَّرّاتُ وَالجُزَيْئاتُ

كُلُّ مادَّةٍ تُصْنَعُ مِنْ وَحداتٍ صَغيرَةٍ فَريدَةٍ تُسَمّى الذَّرّاتِ. وَعِنْدَما تَتَّحِدُ الذَّرّاتُ مَعًا تُؤَلِّفُ الجُزَيْئاتِ. عَلى سَبيلِ المِثالِ: عِنْدَما تَتَّحِدُ ذَرَّتانِ مِنَ الْهَيْدْروجِنِ مَعَ ذَرَّةٍ مِنَ الأُكْسيجِنِ، يَتَكَوَّنُ جُزَيْءُ الْماءِ. الذَّرّاتُ وَالجُزَيْئاتُ صَغيرَةٌ جِدًّا. لِذا، يَتَطَلَّبُ صُنْعُ قَطْرَةٍ مِنَ الْماءِ مَلايينَ الجُزَيْئاتِ.

كانَ رائِفٌ يَجْلِسُ عَلى ذَرَّةِ أُكْسيجِنَ مُتَّصِلَةٍ بِذَرَّتَيْنِ مِنَ الهَيْدْروجِنِ، هذا هُوَ جُزَيْءُ الْماءِ. أَمّا أَنا، فَكُنْتُ أَجْلِسُ عَلى ذَرَّةِ كَرْبونَ مُتَّصِلَةٍ بِذَرَّتَيْ أُكْسيجِنَ، يُمْسِكُ بِهِما كُلٌّ مِنْ تامِرٍ وَرَنْدَةَ. لَقَدْ كَوَّنّا مَعًا جُزَيْئًا مِنْ ثاني أُكْسيدِ الكَرْبونِ. وَلكِنْ، سُرْعانَ ما بَدَأَتِ الأُمورُ تَتَغَيَّرُ.

لَقَدْ بَدَأَتْ جُزَيْئاتُ ثاني أُكْسيدِ الكَرْبونِ وَالْماءِ تَنْفَصِلُ إِلى ذَرّاتٍ مِنَ الكَرْبونِ وَالْهَيْدْروجِنِ وَالأُكْسيجِنِ الَّتي راحَتْ تَطوفُ داخِلَ الوَرَقَةِ، فيما نَحْنُ مُتَعَلِّقونَ بِها! ثُمَّ انْفَصَلَتْ ذَرَّةُ الكَرْبونِ الخاصَّةُ بي عَنْ ذَرَّتَي الأُكْسيجِنِ الْخاصَّتَيْنِ بِرَنْدَةَ وَتامِرٍ.

عِنْدَها، صَرَخْتُ قائِلاً: «إِنَّهُ انْفِجارٌ!» اِبْيَضَّتْ مَفاصِلُ أَصابِعِنا مِنْ شِدَّةِ تَشَبُّثِنا بِالذَّرّاتِ الَّتي راحَتْ تَتَحَرَّكُ بِسُرْعَةٍ كَبيرَةٍ. وَداخَلَ الرُّعْبُ نُفوسَ الْجَميعِ.

في الْواقِعِ، لَمْ يَكُنِ الجَميعُ خائِفًا. فَقَدْ كانَتْ جُمانَةُ مُنْشَغِلَةً بِالْقِراءَةِ، بِحَيْثُ كانَتْ تَجْهَلُ تَمامًا ما يَدورُ حَوْلَها. وَلَيْسَ في مَقْدوري أَنْ أَتَصَوَّرَ كَيْفَ أَنَّها لَمْ تَسْقُطْ عَنْ ذَرَّتِها.

أَمّا الآنِسَةُ فائِزَةُ، وَبِبُرودَةِ أَعْصابِها الْمُعْتادَةِ، قالَتْ لنا: «لا داعِيَ لِلْقَلَقِ، إِنَّهُ لَيْسَ انْفِجارًا، بَلْ هُوَ عَمَلِيَّةُ التَّمْثيلِ الضَّوْئِيِّ».

فَصاحَ كَريمٌ: «عَمَلِيَّةُ التَّمْـــ.. ماذا؟» وَلكِنَّنا لَمْ نَسْمَعْ إِجابَةَ الآنِسَةِ فائِزَةَ، بِسَبَبِ سُرْعَةِ تَحَرُّكِنا الفائِقَةِ.

كانَتْ ذَرّاتُنا تَدورُ حَوْلَ نَفْسِها بِكَثافَةٍ، كَالدَّوّامَةِ، لِذلِكَ بَدَأْتُ أَشْعُرُ بِالدُّوارِ. ثُمَّ أَدْرَكْتُ أَنَّ ذَرَّةَ الْهَيْدْروجِنِ الخاصَّةَ بي لَمْ تَعُدْ وَحْدَها، فَقَدْ كانَتْ تَنْقَضُّ عَلى ذَرّاتٍ أُخْرى. وَقَبْلَ أَنْ نَعْلَمَ ما يَحْدُثُ، اتَّحَدَتْ جَميعُ ذَرّاتِ الكَرْبونِ، وَالأُكْسيجِنِ، وَالْهَيْدْروجِنِ في مَجْموعاتٍ صَغيرَةٍ.

إِثْرَ ذلِكَ، قالَتِ الآنِسَةُ فائِزَةُ: «ها قَدْ أَصْبَحْنا مِنْ جُزَيْئاتِ «الغْلوكوزِ» (السُّكَّرِيّاتِ). وَ«الغْلوكوزُ» نَوْعٌ مِنَ

تَشَبَّثوا جَيِّدًا!
وَهَلْ أَمْلِكُ خِيارًا آخَرَ؟

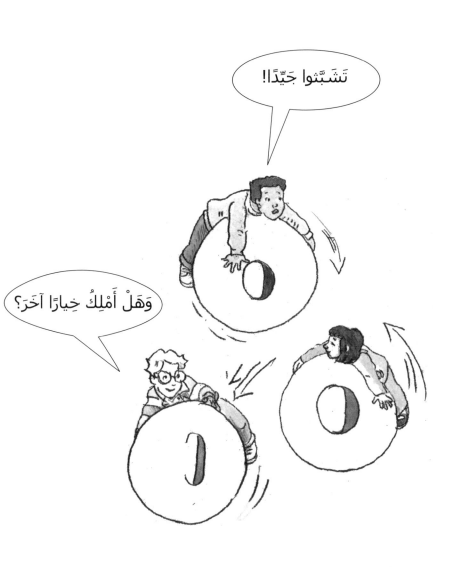

الكَرْبوهَيدْراتِ. وَهُوَ وَجْبَةٌ شَهِيَّةٌ لِأَيِّ نباتٍ! وَهُوَ الطّاقَةُ الَّتي يَسْتَخْدِمُها النَّباتُ لِلْعَيْشِ وَالنُّمُوِّ».

نَظَرْتُ حَوْلي، فَرَأَيْتُ رِفاقي لا يَزالونَ مُعَلَّقينَ بِذَرّاتٍ أُخْرى مِنَ

في أَثْناءِ عَمَلِيَّةِ التَّمْثيلِ الضَّوْئِيِّ، تَدْفَعُ طاقَةُ الضَّوْءِ، الَّتي يَخْتَزِنُها اليَخْضورُ، الجُزَيْئاتِ إِلى التَباعُدِ، بَعْضِها عَنْ بَعْضٍ، وَهذا ما يُؤَدّي إِلى تَحَرُّرِ ذَرّاتِ الْهَيْدروجِنِ وَالكَرْبونِ وَالأُكْسيجِنِ الَّتي تَتَّحِدُ في تَكْويناتٍ جَديدَةٍ، لِتُؤَلِّفَ الكَرْبوهَيْدراتِ.

الكَرْبونِ وَالأوكْسيجِنِ وَالهَيْدروجِنِ، تَتَّحِدُ لِتَكْوينِ «الغْلوكوزِ».

ثُمَّ لاحَظْتُ وُجودَ بَعْضِ ذَرّاتِ الأُكْسيجِنِ الْمُتَبَقِّيَةِ تَطفو خارِجَ ثُقوبِ الوَرَقَةِ.

عِنْدَها، قالَ رائِفٌ: «إِذًا، النَّباتاتُ تُشْبِهُ مَصانِعَ الأَغْذِيَةِ. فَمِنْ خِلالِ عَمَلِيَّةِ التَّمْثيلِ الضَّوْئِيِّ، تَصْنَعُ النَّباتاتُ «الغلوكوزَ» وَالكَربوهَيْداتِ الأُخْرَى الَّتي يَسْتَخْدِمُها النَّباتُ غِذاءً».

فَقُلْتُ: «وَالأُكْسيجِنُ الْمُتبقّي يَتبَدَّدُ في الفَضاءِ، حَيْثُ يَتَنَشَّقُهُ النّاسُ وَالحَيَواناتُ».

لَمْ تَرْفَع جُمانَةُ نَظَرَها عَنْ كِتابِها، وَهِيَ تُخاطِبُنا قائِلَةً: «صَهْ! كَيْفَ لي أَنْ أَقْرَأَ عَنْ صُنْعِ النَّباتِ الأَغْذِيَةَ، إِذا اسْتَمْرَرْتُمْ في إِحْداثِ هذِهِ الضَّجَّةِ؟!»

فَرَدَّتْ فاتِنُ مُقَهْقِهَةً: «في الواقِعِ، أَعْتَقِدُ أَنَّنا وَجَدْنا جَوابَ اللُّغْزِ. إِنَّ التَّمْثيلَ الضَّوْئِيَّ هُوَ بِمَثابَةِ وَصْفَةِ صُنْعِ الغِذاءِ في النَّباتاتِ».

أَيَّدَتِ الآنِسَةُ فائِزَةُ كَلامَ فاتِنَ قائِلَةً: «كَلامٌ مُحِقٌّ تَمامًا. فَأَنْتِ تَعْلَمينَ، مِنْ دونِ أَدْنى شَكٍّ، كَيْفَ تُسَلِّطينَ الضَّوْءَ عَلى الطَّريقَةِ الَّتي تَصْنَعُ فيها النَّباتاتُ الغِذاءَ».

أَخيرًا، رَفَعَتْ جُمانَةُ رَأْسَها عَنِ الكِتابِ، وَقالَتْ: «كُنْتُ عَلى وَشْكِ الوُصولِ إِلى هذا الجُزْءِ».

اِنْتَزَعَتْ جُمانَةُ لائِحَةَ الأَلْغازِ، وَكَتَبَتِ الجَوابَ. ثُمَّ قالَتْ: «أَنْتُمْ مَحْظوظونَ، يا أَنْوَرُ، لِأَنَّني مَوْجودَةٌ مَعَكُمْ في هذِهِ الرِّحْلَةِ الاسْتِطْلاعِيَّةِ. فَلَوْلايَ، لا مَجالَ لِصَفِّكُمْ بِالفَوْزِ في هذِهِ الْمُسابَقَةِ العِلْمِيَّةِ، حَوْلَ الأَغْذِيَةِ الغَريبَةِ».

عِنْدَئِذٍ، حَدَّقَ الجَميعُ إِلى جُمانَةَ الَّتي كانَتْ، عَلى ما يَبْدو،

نَحْنُ نُحِبُّ بَقايا الأَطْعِمَةِ

بِقَلَمِ أَنْوَرٍ

هُناكَ دائِمًا أُكْسيجِنُ مُتَبَقٍّ بَعْدَ كُلِّ عَمَلِيَّةِ تَمْثيلٍ ضَوْئِيٍّ. فَعِنْدَما تَتَّحِدُ جُزَيْئاتُ الْمِياهِ وَثاني أُكْسيدِ الكَرْبونِ لِتُنْتِجَ الكَرْبوهَيْدْراتِ، فَإِنَّها لا تَسْتَعْمِلُ ذَرّاتِ الأُكْسيجِنِ كُلَّها. فَما يَبْقَى مِنْها، يُطْلَقُ في الهَواءِ، مِنْ خِلالِ أَوْراقِ النَّباتِ، وَبِالتّالي يَسْتَطيعُ الإِنْسانُ وَالحَيَوانُ تَنَشُّقَهُ.

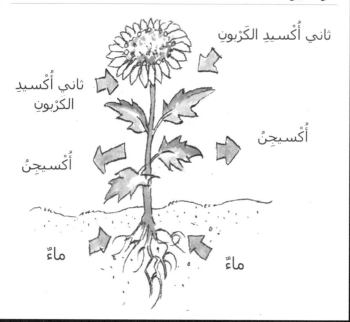

ثاني أُكْسيدِ الكَرْبونِ
ثاني أُكْسيدِ الكَرْبونِ
أُكْسيجِنُ
أُكْسيجِنُ
ماءٌ
ماءٌ

غافِلَةً عَمّا يَجْري حَوْلَها. وَمَعَ ذلِكَ، كانَتْ مُصِرَّةً على أَنْ تَنْسُبَ، إلى نَفْسِها، الفَضْلَ في مَعْرِفَةِ الْجَوابِ! الْمُهِمُّ أَنَّنا كُنّا نَصِلُ إلى الأَجْوِبَةِ، وَآمُلُ أَلاّ يَكونَ تَلامِذَةُ الأُسْتاذِ ناظِمٍ قَدْ سَبَقونا، وَلاسِيَّما أَنَّهُ قَدْ مَضَتْ ساعاتٌ عَلى وُجودِهِمْ في الْمُتْحَفِ.

في هذِهِ اللَّحْظَةِ، هَتَفَ رائِفٌ: «أُنْظُروا! هذِهِ هِيَ الْحافِلَةُ!»

وَأَشارَ إلى بَعْضِ جُزَيْئاتِ الماءِ الجَديدَةِ الَّتي كانَتْ تَنْسابُ داخِلَ وَرَقَةِ البِرْسيمِ. وَبِالفِعْلِ، ظَهَرَتِ الحافِلَةُ الْمَدْرَسِيَّةُ العَجيبَةُ، وَعِظَةُ خَلْفَ مِقْوَدِها. وَما إنْ لَمَحَتْنا، حَتّى أَدارَتِ الْحافِلَةَ تِجاهَنا، وَانْتَهى بِنا الأَمْرُ عَلى مَتْنِها.

تَحَلَّقْنا، مَرَّةً أُخْرى، حَوْلَ طاوِلاتِ مَقْهى «اللُّقْمَةِ الشَّهِيَّةِ».

سَأَلَتْ فاتِنُ الْمُدَرِّسَةَ: «آنِسَةُ فائِزَةُ، بِما أَنَّ النَّباتَ الأَخْضَرَ يَصْنَعُ غِذاءَهُ، فَهذا يَعْني أَنَّهُ الْحَلْقَةُ الأولى في سَلاسِلِ الغِذاءِ كُلِّها. أَلَيْسَ كَذلِكَ؟»

أَجابَتْها رَنْدَةُ قائِلَةً: «كَلامٌ مَنْطِقِيٌّ. فَالنَّباتاتُ الخَضْراءُ لا تَأْكُلُ كائِناتٍ حَيَّةً أُخْرَى، وَإِنَّما كائِناتٌ أُخْرى هِيَ الَّتي تَأْكُلُ النَّباتاتِ».

عِنْدَئِذٍ، قالَتِ الآنِسَةُ فائِزَةُ: «يَبْدو أَنَّ الصّورَةَ قَدِ اتَّضَحَتْ لَكُمْ! فَطالَما أَنَّ الحَيَواناتِ لا تَسْتَطيعُ أَنْ تَصْنَعَ غِذاءَها

بِنَفْسِها، فَالكَثِيرُ مِنْها يَحْصُلُ عَلَى الطَّاقَةِ الَّتِي يَحْتَاجُ إِلَيْها عَنْ طَرِيقِ أَكْلِ النَّباتِ». وَما إِنْ أَنْهَتْ كَلامَها، حَتَّى وَجَّهَتِ الْحافِلَةَ نَحْوَ أَعْلَى وَرَقَةِ البِرْسِيمِ...

وَفَجْأَةً، أَصْبَحَتِ الْحافِلَةُ أَكْبَرَ حَجْمًا، وَصارَتْ بِحَجْمِ الدُّعْسُوقَةِ (الْخُنْفُساءِ). وَفِي أَثْناءِ جُلوسِنا فَوْقَ الوَرَقَةِ، اتَّجَهَتْ أَنْظارُنا إِلَى الحَقْلِ.

كانَتْ دانِيَةُ أَوَّلَ مَنْ بادَرَ إِلَى الكَلامِ، فَقالَتْ: «اُنْظُروا إِلَى كُلِّ الأَرانِبِ وَالفِئْرانِ وَالجَنادِبِ الْمَوْجودَةِ فِي الحَقْلِ. وَها هِيَ الأَرانِبُ تَأْكُلُ البِرْسِيمَ. أَلا تَبْدو جَذَّابَةً؟»

أَطْنانٌ مِنَ الأَغْذِيَةِ النَّباتِيَّةِ

بِقَلَمِ رائِف

هَلْ تَعْلَمُ أَنَّ عَمَلِيَّةَ التَّمْثِيلِ الضَّوْئِيِّ تَصْنَعُ مِئَةَ بِلْيونِ طُنٍّ مِنَ «الغْلوكوزِ»، وَأَنْواعٍ أُخْرى مِنَ الكَرْبوهَيْدِراتِ سَنَوِيًّا؟ هذا ما يُعادِلُ زِنَةَ أَكْثَرَ مِنْ ٦٠٠ مِلْيونِ حوتٍ أَزْرَقَ.

جَذَّابَةً؟ أَعْنِي لا بَأْسَ بِالأَرانِبِ، مِنْ حَيْثُ هِيَ أَرانِبُ. وَلٰكِنْ، لَيْسَ عِنْدَما يَكونُ حَجْمُها ضِعْفَ حَجْمِي خَمْسِينَ مَرَّةً. لَقَدْ كانَتْ هذِهِ الْمَخْلوقاتُ تَعْلونا، وَكَأَنَّها وُحوشٌ عِمْلاقَةٌ،

مَكْسُوَّةٌ بِالفِراءِ. وَكُلَّما اقْتَرَبَ أَحَدُها مِنّا، اهْتَزَّتِ الوَرَقَةُ بِعُنْفٍ.

لَقَدِ اهْتَزَزْتُ أَنا أَيْضًا، وَخُصوصًا عِنْدَما تَوَقَّفَ في جِوارِنا أَحَدُ الأَرانِبِ الرَّمادِيَّةِ اللَّوْنِ، لِكَيْ يَمْضَغَ وَرَقَةَ نَباتٍ.

طَبْعًا، لَمْ تَكُنِ الآنِسَةُ فائِزَةُ مُتَوَتِّرَةً. فَهِيَ أَبْعَدُ ما تَكونُ عَنْ ذلِكَ. وَبِهُدوءِ أَعْصابِها الْمُعْتادِ، قالَتْ: «أَلَيْسَ مِنَ الْبَهْجَةِ أَنْ نُمَتِّعَ أَنْظارَنا بِمَشْهَدِ سِلْسِلَةِ الغِذاءِ، عَنْ كَثَبٍ؟»

لَمْ يَكُنْ لَدَيْنا فُرْصَةٌ لِلإِجابَةِ. أَتَعْرِفونَ السَّبَبَ؟ لِأَنَّهُ ما إِنِ انْتَهى الأَرْنَبُ مِنَ الوَرَقَةِ، حَتّى فَتَحَ فَمَهُ لِيَمْضَغَ أَقْرَبَ وَرَقَةِ نَباتٍ مِنْهُ، أَلا وَهِيَ وَرَقَةُ البِرْسيمِ الَّتي نَقِفُ عَلَيْها!

هُنا،صاحَتْ رَشا: «يا إِلهي! نَكادُ أَنْ نُصْبِحَ طَعامًا لِلأَرانِبِ».

الفَصْلُ الثّالِثُ

صَرَخْتُ بِأَعْلى صَوْتي: «لا!!!»

وَكانَ آخِرُ ما رَأَيْتُهُ، قَبْلَ أَنْ أُغْمِضَ عَيْنَيَّ، هُوَ أَسْنانَ الأَرْنَبِ الكَبيرَةَ الحادَّةَ كَالسِّكّينِ.

وَقَضَمَ بِشِدَّةٍ!

تَمَلَّكَني شُعورٌ بِاليَأْسِ وَالإِحْباطِ، بَيْنَما كُنْتُ أَتَرَقَّبُ اللَّحْظَةَ الَّتي سَأَنْتَهي فيها داخِلَ مَعِدَةِ الأَرْنَبِ. وَلكِنْ... وَعِوَضًا عَنْ ذلِكَ، سَمِعْتُ كَريمًا يَقولُ: «الْحَمْدُ لِلّٰهِ! لَقَدْ حالَ بَيْنَنا وَبَيْنَ أَسْنانِهِ شارِبٌ!»

وَلَمْ يَكُنْ كَريمٌ يَمْزَحُ. فَعِنْدَما فَتَحْتُ عَيْنَيَّ، رَأَيْتُ الْحافِلَةَ العَجيبَةَ قَدِ عَلِقَتْ في أَحَدِ شارِبَيِ الأَرْنَبِ. وَلَوْ سَأَلْتَني، لَقُلْتُ إِنَّنا لا زِلْنا قَريبينَ جِدًّا مِنْ هَذا الفَمِ، الْمِفْرَمَةِ.

وَلِحُسْنِ الحَظِّ، ضَغَطَتِ الآنِسَةُ فائِزَةُ عَلى دَوّاسَةِ الوَقودِ،

وَقادَتِ الْحافِلَةَ بَعيدًا عَنْ شارِبَي الأَرْنَبِ، نُزولاً داخِلَ فِرائِهِ. وَسُرْعانَ ما وَجَدْنا أَنْفُسَنا بَيْنَ أُذُنَيْهِ.

وَبَدَأْنا نَعْلو وَنَهْبُطُ مَعَ قَفْزاتِ الأَرْنَبِ وَهُوَ يَسْعى في طَلَبِ أَوْراقِ البِرْسيمِ، لِيَمْضَغَها. وَكادَتْ مَوْسوعَةُ جُمانَةَ العِلْمِيَّةُ تَسْقُطُ مِنْ حِضْنِها، بَيْنَما حَجَبَ فِراءُ الأَرْنَبِ الرُّؤْيَةَ مِنْ نَوافِذِ الْحافِلَةِ.

وَعادَتِ انْتِقاداتُ جُمانَةَ إِلى العَلَنِ: «إِنَّ الرِّحْلاتِ الاِسْتِطْلاعِيَّةَ في مَدْرَسَتي لا تَشْهَدُ مِثْلَ هذِهِ الْمَواقِفِ الرَّهيبَةِ. فَمُعَلِّمَتي مُرَتَّبَةٌ وَمُنَظَّمَةٌ». عَلى ما يَبْدو، إِنَّ مُعَلِّمَةَ جُمانَةَ تُشْبِهُ الأُسْتاذَ ناظِمًا، إِلى حَدٍّ كَبيرٍ.

في تِلْكَ اللَّحْظَةِ بِالذّاتِ، بَدَأَ الأَرْنَبُ يَهُزُّ رَأْسَهُ. وَإِثْرَ قَفْزَةٍ قَوِيَّةٍ قامَ بِها، طِرْنا في الْهَواءِ، ثُمَّ حَطَطْنا في وَسَطِ الْحَقْلِ.

اِسْتَأْنَفَتْ جُمانَةُ تَذَمُّرَها، فَقالَتْ وَهِيَ تَفْرُكُ عَيْنَيْها: «هذِهِ الرِّحْلَةُ الْمَيْدانِيَّةُ جُنونٌ في جُنونٍ. كَيْفَ يُمْكِنُنا أَن نَتَعَلَّمَ أَيَّ شَيْءٍ؟ كُلُّ ما نَفْعَلُهُ هُوَ الطَّيَرانُ مِنْ مَكانٍ إِلى آخَرَ».

عادَةً، كُنْتُ أَنا الَّذي يَشْكو مِنَ الرِّحْلاتِ الْمَيْدانِيَّةِ الجامِحَةِ الَّتي تُنَظِّمُها الآنِسَةُ فائِزَةُ. وَلكِنَّني شَعَرْتُ بِالحُزْنِ،

لأَنَّ جُمانَةَ لَمْ تَكُنْ تُمْضي وَقْتًا مُمْتِعًا. وَبَدَلاً مِنْ أَنْ أَقولَ ما جالَ في خاطِري، أَجَبْتُها: «عَلى الأَقَلِّ، نَحْنُ نَكْتَشِفُ أَشْياءَ عَنْ سَلاسِلِ الغِذاءِ».

سارَعَتِ الآنِسَةُ فائِزَةُ إِلى القَوْلِ: «أَحْسَنْتَ القَوْلَ يا أَنْوَرُ!

أَيُّ نَوْعٍ مِنَ الأَكَلَةِ أَنْتَ؟

بِقَلَمِ فاتِنَ

في عالَمِ الحَيَوانِ، ثَلاثَةُ أَنْواعٍ مِنَ الأَكَلَةِ:

- نَوْعٌ عاشِبٌ، يَقْتاتُ بِالنَّباتِ وَالعُشْبِ فَقَطْ، كَالأَرانِبِ، وَالجَنادِبِ، وَالغِزْلانِ.
- نَوْعٌ لاحِمٌ، يَقْتاتُ غالِبًا بِالْحَيَواناتِ الأُخْرَى، كَالثَّعالِبِ، وَالنُّسورِ، وَالثَّعابينِ، وَالنُّمورِ، وَأَنْواعٍ كَثيرَةٍ مِنَ الأَسْماكِ.
- نَوْعٌ قارِتٌ، يُمْكِنُ أَنْ يَقْتاتَ بِالنَّباتِ وَالْحَيَوانِ مَعًا، كَالدِّبَبَةِ، وَالفِئْرانِ، وَحَيَوانِ « الرّاكون».

وَيُصَنَّفُ الْجِنْسُ البَشَرِيُّ في خانَةِ النَّوْعِ القارِتِ.

وَالآنَ، نَحْنُ نَشْهَدُ، وَمِنْ بابِ الْمُصادَفَةِ، حَلْقَةً ثانِيَةً مِنْ حَلَقاتِ سِلْسِلَةِ الغِذاءِ».

نَظَرَتْ فاتِنُ نَظْرَةً سَريعَةً خارِجَ نَوافِذِ الْحافِلَةِ، وَشَهَقَتْ. فَقَدْ وَقَعَ نَظَرُها عَلى جُنْدُبٍ في جِوارِنا، يَمْضَغُ بَعْضَ أَوْراقِ

البِرْسيم. فَسَأَلَتِ الآنِسَةَ فائِزَةَ: «أَتَقْصِدينَ ذاكَ الجُنْدُبَ؟»

تَوَلَّتْ دانِيَةُ الْجوابَ، فَقالَتْ: «طَبْعًا، فَالجَنادِبُ تَأْكُلُ النَّباتَ تَمامًا كَالأَرانِبِ.

عِنْدَها، تَدَخَّلَ رائِفٌ في الْحِوارِ قائِلاً: «إِذًا، فَالنَّباتاتُ هِيَ صانِعَةُ الغِذاءِ في سِلْسِلَةِ الغِذاءِ، وَالحَيَواناتُ هِيَ آكِلَةُ الغِذاءِ. كَما أَنَّ الْحَشَراتِ جُزْءٌ مِنْ هَذِهِ السِّلْسِلَةِ أَيْضًا».

وَأَضافَتِ الآنِسَةُ فائِزَةُ: «مِنْ دونِ شَكٍّ! نَحْنُ، الآنَ، نَسْبُرُ عُمْقَ حَقائِقِ سِلْسِلَةِ الغِذاءِ».

هُنا، سَأَلَتْ رَنْدَةُ: «ماذا يَحْدُثُ لِلطّاقَةِ الْمَخْزونَةِ في العُشْبِ وَالبِرْسيمِ، بَعْدَ أَنْ يَبْتَلِعَهُما أَحَدُ الجَنادِبِ؟»

فَسارَعَتْ دانِيَةُ إِلى القَوْلِ: «بِحَسَبِ البَحْثِ الَّذي أَجْرَيْتُهُ، فَإِنَّ الحَيَوانَ، عِنْدَما يَأْكُلُ النَّباتَ، يَمْتَصُّ «الغْلوكوزَ» وَالكَرْبوهَيْدراتِ الأُخْرى الْمَخْزونَةَ فيهِ».

وَهُنا، تَدَخَّلَتْ جُمانَةُ قائِلَةً: «إِنَّ البَحْثَ الَّذي أُعِدُّهُ يَتَضَمَّنُ مَعْلوماتٍ أَكْثَرَ». وَأَشارَتْ إِلى صَفْحَةٍ في مَوْسوعَتِها العِلْمِيَّةِ، وَأَكْمَلَتْ: «ما كُتِبَ هُنا يَذْكُرُ أَنَّ الطّاقَةَ الَّتي يَأْكُلُها الحَيَوانُ تَظَلُّ مُخْزونَةً في داخِلِهِ، إِلى أَنْ تُسْتَخْدَمَ في أُمورٍ:

كَالنُّمُوِّ، وَالبَحْثِ عَنِ الطَّعامِ، وَالْهَرَبِ مِنْ حَيَواناتٍ أُخْرى أَكْبَرَ حَجْمًا».

فَعَلَّقَ كَرِيْمٌ قائِلاً: «لا عَجَبَ، إِذًا، أَنْ يَأْكُلَ هذا الجُنْدُبُ بِشَراهَةٍ. فَعَلَيْهِ أَنْ يَضْمَنَ عَدَمَ نَفادِ طاقَةِ الكَرْبوهيدْراتِ».

فَما كانَ مِنْ جُمانَةَ إِلاّ أَنْ قالَتْ «نَعَمْ».

وَأَعْقَبَتْها دانِيَةُ بِالقَوْلِ: «بِكُلِّ تَأْكيدٍ».

الْمَزيدُ لِمُسْتَزيدٍ!

بِقَلَمِ أَنْوَرٍ

عِنْدَما يَعيشُ أَحَدُ الحَيَواناتِ، وَيَنْمو، وَيَتَنَفَّسُ، فَإِنَّ الطّاقَةَ الْمُخَزَّنَةَ في الكَرْبوهَيْدراتِ تَتَحَوَّلُ إِلى طاقَةٍ نَشِطَةٍ، تَمْنَحُ الحَيَوانَ القُوَّةَ. وَبِمُجَرَّدِ أَنْ يَسْتَهْلِكَ الحَيَوانُ هذِهِ الكربوهَيْدراتِ، يَكونُ عَلَيْهِ أَنْ يَأْكُلَ مَزيدًا مِنَ الطَّعامِ، لِيَتَزَوَّدَ بِالطّاقَةِ مُجَدَّدًا.

وَهُنا، تَكَتَّفَ كُلٌّ مِنْ جُمانَةَ وَ دانِيَةَ، وَهُما تُحَدِّقانِ إِلى بَعْضِهِما. دَعوني أَقُلْ لَكُمْ إِنَّ الحافِلَةَ، في تِلْكَ اللَّحْظَةِ، كانَتْ مَشْحونَةً بِالطّاقَةِ... طاقَةِ الْمُنافَسَةِ الشَّديدَةِ بَيْنَ دانِيَةَ وَجُمانَةَ.

وَبَعْدَ لَحَظاتٍ، أَدارَتْ دانِيَةُ طَرْفَها إِلى ناحِيَةِ وَرَقَةِ البِرْسيمِ.

كانَ الْجُنْدُبُ قَدِ اكْتَفى بِقَضْمِ نِصْفِها. ثُمَّ قالَتْ: «وَلكِنْ... إِنَّ هذِهِ الحَشَرَةَ لا يُمْكِنُ أَنْ تَمْتَصَّ كُلَّ طاقَةِ النَّبْتَةِ، ما لَمْ تَأْكُلْها كامِلَةً، أَلَيْسَ كذلِكَ؟»

أَجابَتِ الآنِسَةُ فائِزَةُ: «أَصَبْتِ يا دانِيَةُ. فَالنَّباتاتُ تَسْتَخْدِمُ بَعْضَ هَذِهِ الكَرْبوهَيدْراتِ لِلْحياةِ، وَالنُّمُوِّ، وَصُنْعِ الطَّعامِ، وَالتَّكاثُرِ. لِذلِكَ، فَإِنَّ الحَيَوانَ لا يَحْصُلُ أَبَدًا عَلى كُلِّ طاقَتِها».

تَدَخَّلَتْ جُمانَةُ في الْحَديثِ، وَقالَتْ: «فَضْلاً عَنْ ذلِكَ، يقولُ كِتابي إِنَّ بَعْضًا مِنْ هذِهِ الطّاقَةِ يَبْقى في أَجْزاءِ النَّباتاتِ غَيْرِ الْمَأْكولَةِ».

وَفيما كانَتْ أَنْظارُنا تَتَنَقَّلُ بَيْنَ جُمانَةَ وَدانِيَةَ اللَّتَيْنِ كانَتا «تَتَراشَقانِ» بِمَعْلوماتٍ مِنْ كِتابَيْهِما، قالَ تامِرٌ: «أَظُنُّ أَنَّ هُناكَ سَبَبًا آخَرَ يَجْعَلُ هذا الجُنْدُبَ وَذلِكَ الأَرْنَبَ يَأْكُلانِ كَثيرًا. فَالْحَيَواناتُ العاشِبَةُ مُضْطَرَّةٌ إِلى تَناوُلِ الكَثيرِ مِنَ النَّباتاتِ، لِتَحْصُلَ عَلى كُلِّ الطّاقَةِ الَّتي تَحْتاجُ إِلَيْها».

أَجابَتِ الآنِسَةُ فائِزَةُ مُوافِقَةً: «هذا صَحيحٌ تَمامًا. وَلكِنْ، عِنْدَما تَأْكُلُ الحَيَواناتُ النَّباتَ، فَإِنَّها لا تُوَفِّرُ بِذلِكَ الطّاقَةَ لِنَفْسِها فَحَسْبُ، بَلْ هِيَ تَمْتَصُّ طاقَةً تُصْبِحُ، بِدَوْرِها، غِذاءً

بِقَلَمِ دانِيَة

لِحَيَواناتٍ أُخْرى».

فاجَأَني هذا الْجَوابُ، فَسَأَلْتُ بِدَهْشَةٍ: «حَيَواناتٌ أُخْرى؟» حَسَنًا، أَعْتَرِفُ بِأَنَّ كَلِماتِ الآنِسَةِ فائِزَةَ جَعَلَتْني مُتَوَتِّرًا! فَهَلْ أَنا مَلومٌ عَلى ذلِكَ؟

وَكَيْ تَزيدَ مِنْ تَوَتُّري أَكْثَرَ، قالَتْ دانِيَةُ : «مُؤَكَّدٌ. يَكْفي أَنْ تَنْظُرَ وَراءَكَ يا أَنْوَرُ!»

كُنْتُ خائِفًا جِدًّا مَنْ إِلْقاءِ نَظْرَةٍ. اِسْتَدَرْتُ بِبُطْءٍ، لكِنَّني لَمْ أَرَ الجُنْدُبَ، بَلْ رَأَيْتُ أَحَدَ الفِئْرانِ يُنَظِّفُ شارِبَيْهِ، وَهُوَ يَمْضَغُ شَيْئًا. كانَ سَهْلاً عَلَيَّ أَنْ أَحْزَرَ ما حَلَّ بِالْجُنْدُبِ. وَمَعَ ذلِكَ، شَعَرْتُ بِبَعْضِ الارْتِياحِ، فَعَلى الرَّغْمِ مِنْ أَنَّهُ فَأْرٌ عِمْلاقٌ. إِلّا أَنَّنا كُفينا شَرَّهُ!

ثُمَّ سَأَلْتُ مُشَكِّكًا: «إِذًا، أَيَكونُ الفَأْرُ هُوَ الحَلْقَةُ الثّالِثَةُ في سِلْسِلَةِ الغِذاءِ هذِهِ؟»

أَجابَتْني الآنِسَةُ فائِزَةُ: «أَصَبْتَ يا أَنْوَرُ. فَالفِئْرانُ مِنَ الْحَيَوانات القارِتَةِ الَّتي تَقْتاتُ بِكُلِّ أَنْواعِ الأَطْعِمَةِ، بِما فيها الْحَشَراتُ».

كُنْتُ لا أَزالُ أُفَكِّرُ في كَلامِ الْمُدَرِّسَةِ، عِنْدَما سَمِعْتُ رَشا تَقولُ: «يا لَلْهَوْلِ، يا لَلْهَوْلِ، يا لَلْهَوْلِ... تُرى، أَيُّ نَوْعٍ مِنَ الحَيَواناتِ يَأْكُلُ الفِئْرانَ؟»

لَمْ تُعْجِبْني نَبْرَةُ صَوْتِها. فاسْتَدَرْتُ بِسُرْعَةٍ، وَرَأَيْتُهُ... طَويلٌ، وَنَحيلٌ، وَكَثيرُ الحَراشِفِ».

فَصَرَخْتُ: «ثُعْبانٌ!»

لَقَدْ كانَ ضَخْمًا، وَبَدَأَ يَسْعَى وَراءَ الفَأْرِ- وَوَراءَنا- فاغِرًا فاهُ عَلى مِصْراعَيْهِ!

حَدْسي يُنْبِئُني أَنَّ الثَّعابينَ لَيْسَتْ مِنْ أَكَلَةِ العُشْبِ!

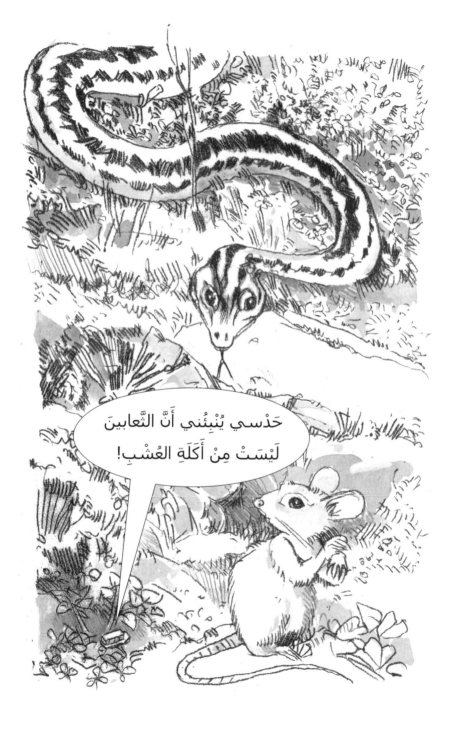

الفَصْلُ الرّابِعُ

لَمْ أَكُنِ الوَحيدَ الَّذي صَرَخَ.

في الْواقِعِ، كانَتِ الآنِسَةُ فائِزَةُ هِيَ الوَحيدَةَ الَّتي لَمْ تَصْرُخْ. وَبابْتِسامَةٍ عَريضَةٍ، بادَرَتْنا بِالقَوْلِ: «ها قَدْ وَصَلَتِ الْحَلْقَةُ التّالِيَةُ، في سِلْسِلَةِ الغِذاءِ». قالَتْها بِنَبْرَةٍ يَظُنُّ مَنْ يَسْمَعُها أَنَّ مَوْكِبًا اسْتِعْراضِيًّا يَمُرُّ بِنا، لا ثُعْبانًا يَتَسَلَّلُ بَحْثًا عَنْ فَريسَةٍ. ثُمَّ أَضافَتْ: «فَلْنُلْقِ نَظْرَةً!»

قُلْتُ: «قَدْ يَنْتَهي بِنا الأَمْرُ إِلى إِلْقاءِ نَظْرَةٍ داخِلِيَّةٍ. هذا أَمْرٌ لا يُحْتَمَلُ!»

وَانْقَضَّ الثُّعْبانُ بِسُرْعَةِ البَرْقِ. وَلِحُسْنِ حَظِّنا، كانَتِ الآنِسَةُ فائِزَةُ أَسْرَعَ مِنْهُ، فَضَغَطَتْ عَلى دَوّاسَةِ الوَقودِ، وَانْطَلَقَتِ الْحافِلَةُ العَجيبَةُ في الفَضاءِ، بَعيدًا عَنِ الفَأْرِ، لِتَهْبِطَ بِسَلامٍ عَلى صَفْحَةِ نَبْتَةٍ. أَمّا الفَأْرُ، وَبِكُلِّ أَسَفٍ، فَقَدْ خَذَلَهُ الْحَظُّ، إِذِ انْتَهى لُقْمَةً

سائِغَةً في فَمِ الثُّعْبانِ الضَّخْمِ.

بَدَتْ رَنْدَةُ مُشْمَئِزَّةً، فيما كانَتِ الآنِسَةُ فائِزَةُ تَشْرَحُ لَنا: «أَيُّها التَّلامِذَةُ! هذا الثُّعْبانُ هُوَ الحَلْقَةُ الرّابِعَةُ في سِلْسِلَةِ الغِذاءِ هذِهِ: البِرْسيمُ، الجُنْدُبُ، الفَأْرُ، الثُّعْبانُ».

أَكْمَلَتْ دانِيَةُ قائِلَةً: «لكِنَّها لَيْسَتْ نِهايَةَ سِلْسِلَةِ الغِذاءِ».

وَأَشارَتْ إِلى صَفْحَةٍ في كِتابِها، وَأَضافَتْ: «يُمْكِنُ أَنْ يَكونَ الثُّعْبانُ فَريسَةَ حَيَوانٍ آخَرَ؛ وَهذا، بِدَوْرِهِ، قَدْ يَصْطادُهُ حَيَوانٌ آخَرُ. فَبَعْضُ سَلاسِلِ الغِذاءِ يَتَضَمَّنُ خَمْسَ أَو سِتَّ حَلَقاتٍ، أَوْ أَكْثَرَ. وَهكَذا، تَنْتَقِلُ الطّاقَةُ مِنْ حَلْقَةٍ إِلى أُخْرى».

عِنْدَها، هَتَفَ كَريْمٌ إِعْجابًا: «إِذًا، فَسَلاسِلُ الغِذاءِ هِيَ وَسيلَةٌ لِنَقْلِ الطّاقَةِ الشَّمْسِيَّةِ إِلى الكائِناتِ الْحَيَّةِ كُلِّها».

وافَقَتِ الآنِسَةُ فائِزَةُ عَلى كَلامِهِ، وَقالَتْ: «تَسْتَمِدُّ الْحَياةُ، عَلى كَوْكَبِ الأَرْضِ، طاقَتَها مِنْ أَشِعَّةِ الشَّمْسِ».

وَأَضافَتْ دانِيَةُ: «كَما يَسْتَمِدُّها أَكْثَرُ الحَيَواناتِ الصّائِدَةِ ضَراوَةً، كَالدُّبِّ وَالصَّقْرِ. فَهذِهِ الحَيَواناتُ تَأْتي عَلى رَأْسِ لائِحَةِ سِلْسِلَةِ الغِذاءِ، وَبِالتّالي، فَهِيَ آخِرُ مَنْ يَحْصُلُ عَلى طاقَةِ الكَرْبوهَيْدراتِ الَّتي يَصْنَعُها النَّباتُ».

فَتَدَخَّلَتْ جُمانَةُ كَالعادَةِ: «أَنا عَرَفْتُ كُلَّ ذلِكَ مُسَبَّقًا». ثُمَّ أَمْسَكَتْ بِلائِحَةِ أَلْغازِ الأَغْذِيَةِ الغَريبَةِ، وَسَأَلَتْ: «أَلَيْسَ الأَحْرى بِنا أَنْ نُجيبَ عَنِ اللُّغْزِ التّالي؟»

الأَغْذِيَةُ الغَريبَةُ– اللُّغْزُ الثّالِثُ
إِنَّ سِلْسِلَةَ غِذاءٍ واحِدَةً، في مَنْطِقَةٍ جُغْرافِيَّةٍ مُعَيَّنَةٍ، لا يُمْكِنُها أَنْ تَخْتَصِرَ قِصَّةَ الغِذاءِ كامِلَةً. لكِنَّ، هذِهِ السِّلْسِلَةَ تَخْتَصِرُها. فَهِيَ مَصْنوعَةٌ مِنْ عِدَّةِ سَلاسِلِ غِذاءٍ، تَتَشابَكُ وَيَتَّصِلُ بَعْضُها بِبَعْضٍ. فَما هِيَ؟
الجَوابُ:________________________________

سَأَلَتْ فاتِنُ: «كَيْفَ يُمْكِنُ سَلاسِلَ الغِذاءِ أَنْ يَتَّصِلَ بَعْضُها بِبَعْضٍ؟»

سارَعَتْ جُمانَةُ إِلى القَوْلِ: «سَأَحْصُلُ أَنا عَلى الإِجابَةِ». ثُمَّ نَقَرَتْ مَوْسوعَتَها العِلْمِيَّةَ نَقْرًا خَفيفًا، وَأَضافَتْ: «أَنا مُتَأَكِّدَةٌ مِنْ أَنَّ الجَوابَ هُنا في كِتابي».

وَقَبْلَ أَنْ يُفْسَحَ الْمَجالُ لِأَيِّ تَدَخُّلٍ مِنْ دانِيَةَ، قالَتِ الآنِسَةُ فائِزَةُ: «الكُتُبُ وَسيلَةٌ عَظيمَةٌ لِلتَّعلُّمِ. لكِنْ ثَمَّةَ أَماكِنُ أُخْرى نَجِدُ فيها الْمَعْلوماتِ أَيْضًا». وَلَمَعَتْ عَيْناها كَالنُّجومِ، عِنْدَما قالَتْ ذلِكَ. لَمْ تَمْضِ لَحَظاتٌ، حَتّى شَعَرْنا بِأَنَّ الْحافِلَةَ العَجيبَةَ

بَدَأَتْ تَتَحَوَّلُ مُجَدَّدًا.

بَقِيَتِ الْحافِلَةُ مِنَ الدّاخِلِ، عَلى هَيْئَةِ مَقْهى «اللُّقْمَةِ الشَّهِيَّةِ». لكِنَّ شَكْلَها الخارِجِيَّ ازْدادَ طولاً، وَغَطَّتْهُ الحَراشِفُ.

فَقالَتْ رَشا: «لَقَدْ تَحَوَّلْنا ثُعْبانًا!»

بَعْدَ مُشاهَدَتِنا ما فَعَلَهُ الثُّعْبانُ الحَقيقِيُّ بِالفَأْرِ، لَمْ أَكُنْ مُتَحَمِّسًا لِتَحَوُّلِ الْحافِلَةِ إِلى ثُعْبانٍ. لكِنَّ يَبْدو أَنَّ الباقينَ لَمْ يُمانِعوا في الأَمْرِ.

ضَغَطَتِ الآنِسَةُ فائِزَةُ عَلى دَوّاسَةِ الوَقودِ، وَبَدَأْنا نَسْعى كَالثُّعْبانِ، داخِلَ العُشْبِ، نَحْوَ الغاباتِ. وَيا لَها مِنْ بَرِّيَّةٍ! كانَتِ الْحَيَواناتُ في كُلِّ مَكانٍ! رَأَيْنا الحَشَراتِ، وَالفِئْرانَ، وَالثَّعابينَ، وَالسَّناجِبَ، وَالطُّيورَ، وَالغِزْلانَ، وَالثَّعالِبَ. ... وَحَتّى دُبًّا!

وَسُرِرْتُ عِنْدَما قادَتِ الآنِسَةُ فائِزَةُ ثُعْبانَ الْمَدْرَسَةِ العَجيبَ تَحْتَ صَخْرَةٍ كَبيرَةٍ وَمُسَطَّحَةٍ. كُنّا في حِمايَةٍ تامَّةٍ تَقْريبًا، بِاسْتِثْناءِ ما بَرَزَ مِنْ ذَيْلِنا خارِجًا.

بَعْدَ ذلِكَ، خاطَبَتْنا الآنِسَةُ فائِزَةُ قائِلَةً: «أَيُّها التّلامِذَةُ! إِنَّ النِّظامَ البيئِيَّ في هذِهِ الغابَةِ يَسْمَحُ لِحَيَواناتِها بِالعَيْشِ مَعًا في تَوازُنٍ رائِعٍ».

فَقالَ كَريمٌ: «أَتَصِفينَ هذا بِالرّائِعِ؟ إِنَّهُ جُنونٌ غِذائِيٌّ كامِلٌ!»

ما هُوَ النِّظامُ البيئِيُّ؟

بِقَلَمِ رائِفٍ

النِّظامُ البيئِيُّ مُجْتَمَعٌ مِنَ الكائِناتِ الحَيَّةِ، وَغَيْرِ الحَيَّةِ. وَكُلُّ نِظامٍ بيئِيٍّ يَخْتلِفُ عَنِ الآخَرِ. فَبيئَةُ البِرْكَةِ قَدْ تَحْتَوي عَلى تُرْبَةٍ، وَماءٍ، وَطحالِبَ، وَحَشَراتٍ، وَضَفادِعَ، وَأَسْماكٍ. وَبيئَةُ الصَّحْراءِ قَدْ تَحْتَوي عَلى رِمالٍ، وَعقارِبَ، وَنَباتِ الصَّبّارِ.

كَلِمَةُ «جُنونٍ» كانَتْ في مَحَلِّها. فَالغِزْلانُ، وَالسَّناجِبُ، وَالجَنادِبُ، كانَتْ تَأْكُلُ العُشْبَ وَالنَّباتاتِ الأُخْرى. وَنَقّارُ الخَشَبِ، وَالضِّفْدَعُ، وَالظَّرِبانُ كانَتْ تَلْتَقِطُ الحَشَراتِ بِشَغَفٍ. وَالثَّعالِبُ، وَحَيَواناتُ «الرّاكون»، وَالثَّعابينُ كانَتْ تُطارِدُ الفِئْرانَ وَالضَّفادِعَ. وَكانَ دُبٌّ بُنِّيٌّ ضَخْمٌ يَنْطَلِقُ خارِجًا مِنْ جَدْوَلِ ماءٍ، وَهُوَ يَحْمِلُ سَمَكَةً بِمَخالِبِه.

قالَ تامِرٌ وَهُوَ يُشيرُ إِلى بَعْضِ الدِّيدانِ الَّتي كانَتْ تَغوصُ في الأَرْضِ، بِالقُرْبِ مِنْ صَخْرَتِنا: «عَلى رِسْلِكُمْ قَليلاً، إِنَّ سَلاسِلَ الغِذاءِ تُبَيِّنُ أَنَّ كُلَّ حَيَوانٍ يَأْكُلُ نَوْعًا واحِدًا مِنَ الحَيَواناتِ أَوِ النَّباتاتِ. لِكِنَّني رَأَيْتُ طُيورًا وَحَيَوانَ «راكون» تَأْكُلُ هذِهِ الدّيدانَ».

وَإِذا بِرَشا تُشيرُ إِلى ثُعْبانٍ يَجوسُ نَحْوَ ضِفْدَعَةٍ عَلى حافَةِ

بِرْكَةٍ، بَيْنَما ثُعْبانٌ آخَرُ، في الْجِوارِ، يَنْظُرُ بِعَيْنَيْنِ جائِعَتَيْنِ إِلى فَأْرٍ صَغيرٍ. ثُمَّ قالَتْ: «أُنْظُروا هذَيْنِ الثُّعْبانَيْنِ، فَهُما يَصْطادانِ أَنْواعًا مُخْتَلِفَةً مِنَ الحَيَواناتِ».

فَقالَتِ الآنِسَةُ فائِزَةُ مُوَضِّحَةً: «أَكْثَرِيَّةُ الحَيَواناتِ تَلْجَأُ إِلى

النُّظُمُ البيئِيَّةُ: كَبيرُها، وَصَغيرُها

بِقَلَمِ وائِلٍ

النِّظامُ البيئِيُّ قَدْ يَكونُ صَغيرًا بِحَجْمِ بِرْكَةٍ، أَوْ كَهْفٍ؛ وَقَدْ يَكونُ كَبيرًا بِحَجْمِ غابَةٍ أَوْ مُحيطٍ. وَعِنْدَما يَكونُ النِّظامُ البيئِيُّ كَبيرًا، تَكْثُرُ أَنْواعُ الحَيَواناتِ الَّتي تَعيشُ فيهِ. سَلاسِلُ الغِذاءِ، في النِّظامِ البيئِيِّ الكَبيرِ، تَحْتَوي عادَةً عَلى عَدَدٍ أَكْبَرَ مِنَ الحَيَواناتِ مِنْ تِلْكَ المَوْجودَةِ في سَلاسِلِ الغِذاءِ التّابِعَةِ لِنِظامٍ بيئِيٍّ أَصْغَرَ.

التَّنْويعِ في اخْتِيارِ طَعامِها، كَما البَشَرُ تَمامًا. وَهذا هُوَ سَبَبُ وُجودِ سَلاسِلَ غِذائِيَّةٍ كَثيرَةٍ في نِظامٍ بيئِيٍّ واحِدٍ».

رَفَعَتْ جُمانَةُ عَيْنَيْها عَنْ كِتابِها لِلَحْظَةٍ، وَقالَتْ: «اِسْمَعوا هذا! يَقولونَ هُنا إِنَّ سَلاسِلَ الغِذاءِ يَتَداخَلُ بَعْضُها في بَعْضٍ. فَحَيَوانٌ واحِدٌ يُمْكِنُ أَنْ يَأْكُلَ العَديدَ مِنَ الْحَيَواناتِ، أَوِ

النَّباتاتِ الْمُخْتَلِفَةِ؛ كَما يُمْكِنُ أَنْ يُؤْكَلَ، هَوَ بِدَوْرِهِ، مِنْ قِبَلِ حَيَواناتٍ مُخْتَلِفَةٍ أُخْرى».

ها هِيَ جُمانَةُ تُعاوِدُ فِعْلَتَها. لَقَدْ كانَتْ مُنْهَمِكَةً في قِراءَتِها، بِحَيْثُ لَمْ تُلاحِظْ ما كانَ يُشاهِدُهُ الآخَرونَ في الخارِجِ.

قالَتِ الآنِسَةُ فائِزَةُ، وَهِيَ تومِئُ بِرَأْسِها مِنَ النّافِذَةِ: «إِنَّني أَرى ما تَتَكَلَّمينَ عَلَيْهِ. وَلِهذا السَّبَبِ، لا تَسْتَطيعُ سِلْسِلَةٌ غِذائِيَّةٌ واحِدَةٌ أَنْ تَخْتَصِرَ القِصَّةَ بِأَكْمَلِها».

فَتَدَخَّلَتْ دانِيَةُ قائِلَةً: «لكِنَّ الشَّبَكَةَ الغِذائِيَّةَ تَسْتَطيعُ ذلِكَ. وَأَعْتَقِدُ أَنَّ هذا هُوَ الْجَوابُ عَنِ اللُّغْزِ الثّالِثِ، وَهذا مَذْكورٌ هُنا، في كِتابِ جُمانَةَ».

أَنْعَمْتُ النَّظَرَ، فَأَدْرَكْتُ أَنَّ دانِيَةَ كانَتْ تَقْرَأُ كِتابَ العُلومِ خِفْيَةً عَنْ جُمانَةَ.

حَدَّقَتْ جُمانَةُ إِلى دانِيَةَ، وَقالَتْ مُتَذَمِّرَةً: «هذا لَيْسَ عَدْلاً، أَنا الَّتي اكْتَشَفْتُ الصَّفْحَةَ».

فَرَدَّتْ دانِيَةُ بِالقَوْلِ: «أَعْرِفُ ذلِكَ. وَلكِنْ، عِنْدَما لَمَحْتُ عِبارَةَ «الشَّبَكَةَ الغِذائِيَّةَ»، فَكَّرْتُ بِأَنَّها قَدْ تَكونُ حَلَّ لُغْزِنا. أَنا آسِفَةٌ، يا جُمانَةُ».

اِخْتِبارُ فاتِنَ حَوْلَ الطَّعامِ

سُؤالٌ: أَيُّ نَوْعٍ مِنَ الشَّبَكِ مُكَوَّنٌ مِنَ السَّلاسِلَ؟

جَوابٌ: الشَّبَكَةُ الغِذائيَّةُ! فَهِيَ شَبَكَةٌ مِنْ سَلاسِلَ غِذائِيَّةٍ مُتَداخِلَةٍ، تُبَيِّنُ العَلاقاتِ الغِذائيَّةَ الْمُخْتَلِفَةَ، بَيْنَ حَيَواناتِ، النَّظامِ البيئِيِّ الواحِدِ.

كُنْتُ واثِقًا مِنْ صِدْقِ كَلامِ دانِيَة. فَأَنا أَسْتَبْعِدُ نِيَّتَها الاسْتيلاءَ عَلى جَوابِ جُمانَة. بَيْدَ أَنَّ هذِهِ الأَخيرَةَ لَمْ تَكُنْ مُسْتَعِدَّةً لِمُسامَحَتِها.

اِبْتَسَمَ رائِفٌ ابْتِسامَةً ذاتَ مَغْزًى، وَقالَ: « دانِيَةُ مُحِقَّةٌ، لَقَدْ حَصَلْنا عَلى جَوابِ اللُّغْزِ الثّالِثِ».

عِبارَةُ الشَّبَكَةِ الغِذائِيَّةِ بَدَتْ مُلائِمَةً تَمامًا عِنْدَما كَتَبْتُها في لائِحَةِ أَلْغازِ سِلْسِلَةِ الأَغْذِيَةِ الغَريبَةِ. وَبِالأَحْرى، عِنْدَما حاوَلْتُ كِتابَتَها. لكِنْ، قَبْلَ أَنْ أَتَمَكَّنَ مِنْ ذلِكَ سارَعَتْ جُمانَةُ إِلى اخْتِطافِ اللاّئِحَةِ مِنْ يَدي.

قالَتْ جُمانَةُ وَهِيَ تَنْتَزِعُ قَلَمي أَيْضًا : «الجَوابُ عَنْ هذا اللُّغْزِ هُوَ الشَّبَكَةُ الغِذائِيَّةُ ، وَأَنا الَّتي وَجَدْتُها في كِتابي ها هُنا». ثُمَّ أَخَذَتْ تُدَوِّنُ ذلِكَ، وَنَظَرَتْ إِلى دانِيَةَ نَظْرَةَ الْمُنْتَصِرِ، وَقالَتْ: «إِنَّما لَمْ أُجْهِرْ بِالجَوابِ».

لَمْ تَقُلْ دانِيَةُ شَيْئًا لِجُمانَةَ، وَلكِنَّها هَمَسَتْ إِلَيَّ، قائِلَةً: «أَتَعْرِفُ يا أَنْوَرُ؟ لَوْ خَفَّفَتْ جُمانَةُ مِنْ تَفاخُرِها، لَكانَ بِاسْتِطاعَتِها أَنْ تَرى كَثيرًا مِمّا يَحْدُثُ».

أَوَتَعْلَمونَ شَيْئًا؟ لَقَدْ بَدَأْتُ أَتَمَنّى أَنْ تَصِلَ هذِهِ الرِّحْلَةُ الْمَيْدانِيَّةُ إِلى نِهايَتِها. فَأَنا لا أُحِبُّ أَنْ أَقَعَ بَيْنَ الْمِطْرَقَةِ

وَالسَّنْدانِ (بَيْنَ أَمْرَيْنِ كِلاهُما شرٌّ). وَعِوَضًا عَنِ التَّصْريحِ بِما جالَ في خاطِري، قُلْتُ: «فَلْنَقْرَإِ اللُّغْزَ التّالِيَ، أَتُوافِقينَ؟»

بَدَتْ جُمانَةُ كَأَنَّها تُريدُ أَنْ تَقولَ شَيْئًا لِدانِيَةَ؛ لَكِنَّها نَظَرَتْ إِلى اللاّئِحَةِ بَدَلاً مِنْ ذلِكَ. فَاغْتَنَمْتُ الفُرْصَةَ لِأَخْتَلِسَ النَّظَرَ، مِنْ فَوْقِ كَتِفِها، وَأَقْرَأَ اللُّغْزَ أَيْضًا.

الأَغْذِيَةُ الغَريبَةُ – اللُّغْزُ الرّابِعُ

هذِهِ الْحَيَواناتُ القارِتَةُ هِيَ مِنْ بَيْنِ أَفْضَلِ الْحَيَواناتِ الصّائِدَةِ في العالَمِ. أَحْيانًا، تَأْكُلُ أَغْذِيَةً مِنْ سَلاسِلَ غِذائِيَّةٍ مَوْجودَةٍ في الطَّبيعَةِ. وَأَحْيانًا أُخْرى، تَتَحَكَّمُ في سَلاسِلِها الغِذائِيَّةِ الخاصَّةِ بِها، كَيْ تَتَأَكَّدَ مِنْ تَوافُرِ الطَّعامِ الَّذي تُريدُهُ وَتَحْتاجُ إِلَيْهِ. فَمَنْ هِيَ؟

الجَوابُ: ____________________

قالَ تامِرٌ: «يوحي هذا اللُّغْزُ بِالبَحْثِ عَنْ شَيْءٍ في أَعْلى سِلْسِلَةِ الغِذاءِ. أَلَيْسَ هذا صَحيحًا؟ شَيْءٌ مِثْلَ الدُّبِّ، أَوِ الذِّئْبِ، أَوِ النَّسْرِ. أَعْني بِذلِكَ صَيّادًا ماهِرًا».

قُلْتُ: «لا يُعْجِبُني هذا الاحْتِمالُ». لَمْ أَكُنْ أُريدُ مُجَرَّدَ التَّفْكيرِ في الْحَيَواناتِ الصّائِدَةِ الَّتي تَتَرَبَّعُ على قِمَّةِ سِلْسِلَةِ الغِذاءِ، وَلَوْ كانَ جَوابًا لِلُّغْزِ.

لكِنَّ صَوْتَ الآنِسَةِ فائِزَةَ أَعادَها إِلى مَسْمَعي، إِذِ أَكَّدَتْ قائِلَةً: «هذِهِ الْحَيَواناتُ الصّائِدَةُ، كَالدِّبَبَةِ، قَدْ تَكونُ شَرِسَةً، وَلكِنَّ عَدَدَها في البَراري أَقَلُّ بِكَثيرٍ مِنَ الْحَيَواناتِ الْمُنْتَمِيَةِ إِلى دَرَجاتٍ أَدْنى، في سِلْسِلَةِ الغِذاءِ».

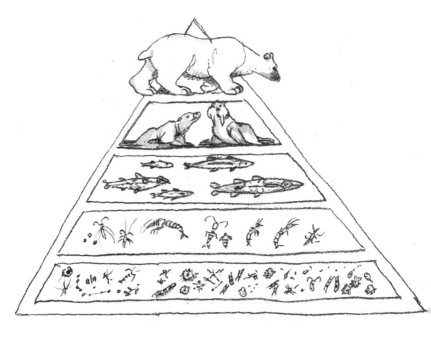

أَثارَ هذا الكَلامُ فُضولَ كَريمٍ، فَسَأَلَ: «وَلِمَ لا؟»

فَأَجابَتِ الآنِسَةُ فائِزَةُ: «الْمَوْضوعُ يَتَعَلَّقُ بِالطّاقَةِ، يا أَوْلادُ! فَالحَيَواناتُ تَحْتاجُ إِلى الطّاقَةِ، وَلكِنَّ الطّاقَةَ تَتَناقَصُ كُلَّما ارْتَفَعْنا في سِلْسِلَةِ الغِذاءِ».

سارَعَتْ دانِيَةُ إِلى القَوْلِ: «تَظْهَرُ صورَةُ سِلْسِلَةِ الغِذاءِ، في كِتابي، عَلى شَكْلِ هَرَمٍ. فَفي قاعِدَتِهِ، وَهِيَ الْحَلْقَةُ الكُبْرى، أَطْنانٌ مِنَ النَّباتاتِ. تَليها حَلْقَةُ الْحَيَواناتِ العاشِبَةِ، بِأَعْدادٍ أَقَلَّ. وَكُلَّما ارْتَفَعْنا في سُلَّمِ سِلْسِلَةِ الغِذاءِ، تَضاءَلَ عَدَدُ الْحَيَواناتِ، إِلى أَنْ نَصِلَ إِلى الْمَرْحَلَةِ العُلْيا، حَيْثُ الْحَيَواناتُ الضّارِيَةُ الْمُفْتَرِسَةُ، فَلا نَجِدُ الكَثيرَ مِنْها».

هُنا، سَأَلَ رائِفٌ: «وَما عَلاقَةُ ذلِكَ بِالطّاقَةِ؟»

فَأَجابَتْهُ دانِيَةُ: «حَسَنًا، تَنْتَقِلُ طاقَةُ أَشِعَّةِ الشَّمْسِ مِنْ أَسْفَلِ الهَرَمِ، صُعودًا نَحْوَ قِمَّتِهِ، وَذلِكَ عَبْرَ تَحَوُّلِ الْمُسْتَوى الأَدْنى مِنَ الْهَرَمِ طَعامًا لِلْمُسْتَوى الأَعْلى مِنْهُ. وَلكِنَّ الحَيَواناتِ، وَالنَّباتاتِ، وَالحَشَراتِ في كُلِّ مُسْتَوًى، تَسْتَهْلِكُ بَعْضًا مِنْ هذِهِ الطّاقَةِ، قَبْلَ انْتِقالِها إِلى الْمَرْحَلَةِ الأَعْلى. وَهكَذا، نَجِدُ الكَثيرَ مِنَ الطّاقَةِ عَلى الْمُسْتَوى الأَدْنى مِنَ الْهَرَمِ. وَتَبْدَأُ هذِهِ الطّاقَةُ بِالنُّقْصانِ، تَدَرُّجًا، كُلَّما صَعِدْنا نَحْوَ القِمَّةِ».

أَوْمَأَ رائِفٌ بِرَأْسِهِ، وَقالَ: «أَظُنُّ أَنَّني فَهِمْتُ. بِما أَنَّ هُناكَ القَليلَ مِنَ الطّاقَةِ في أَعْلى سِلْسِلَةِ الغِذاءِ، يَقِلُّ عَدَدُ الْحَيَواناتِ في القِمَّةِ أَيْضًا!»

الطّاقَةُ الْمَفْقودَةُ عَبْرَ الزَّمَنِ

بِقَلَمِ دانِيَة

تَسْتَخْدِمُ النَّباتاتُ وَالحَيَواناتُ مُعْظَمَ طاقَتِها لِلْعَيْشِ وَالنُّمُوِّ. فَعِنْدَما يَأْكُلُ الحَيَوانُ نَبْتَةً، يَمْتَصُّ بَعْضَ طاقَتِها فَقَطْ، لِأَنَّ بَعْضَها الآخَرَ قَدْ تَمَّ اسْتِهْلاكُهُ مِنْ قِبَلِ النَّبْتَةِ ذاتِها. هذا ما يَحْصُلُ أَيْضًا حينَ يَفْتَرِسُ حَيَوانٌ لاحِمٌ حَيَوانًا آخَرَ.

يَحْتاجُ الْحَيَوانُ العاشِبُ إِلى الكَثيرِ مِنَ النَّباتاتِ، لِلْحُصولِ عَلى الطّاقَةِ الكافِيَةِ. لِذلِكَ، هُناكَ حاجَةٌ إِلى وُجودِ نَباتاتٍ أَكْثَرَ مِنَ الحَيواناتِ آكِلَةِ العُشْبِ. وَهُناكَ حاجَةٌ إِلى وُجودِ حَيَواناتٍ عاشِبَةٍ أَكْثَرَ مِنَ الحَيَواناتِ اللّاحِمَةِ.

ما كانَ أَشَدَّ ارْتِياحي لِسَماعي ذلِكَ! نَظَرْتُ مِنْ نافِذَةِ الْحافِلَةِ، وَقُلْتُ: «لَيْسَ مِنْ دُبٍّ أَوْ ذِئْبٍ عَلى مَرْأًى مِنّا!»

وَلكِنَّني رَأَيْتُ شَيْئًا آخَرَ. كانَ سَمَنْدَرًا (حَيَوانًا مِنَ الضِّفْدَعِيّاتِ) بِلَوْنٍ بُرْتُقالِيٍّ لامِعٍ، يَقْفِزُ عَبْرَ الغابَةِ. وَبَدَأَتِ الْحافِلَةُ الثُّعْبانُ العَجيبَةُ تَسْعى نَحْوَهُ. عِنْدَها، أَدْرَكْتُ أَنَّنا مِنَ الصَّيّادينَ أَيْضًا. لَمْ أَسْتَطِعْ أَنْ أَتَحَمَّلَ رُؤْيَةَ الْمَشْهَدِ، وَنَحْنُ نَقْتَرِبُ مِنْ ذلِكَ الْمَخْلوقِ الصَّغيرِ. فَقَدْ شاهَدْتُ لِسانَ الْحافِلَةِ الثُّعْبانِ الطَّويلَ

يَنْزَلِقُ خارِجًا مِنْ فيهِ، ثُمَّ يَعودُ اسْتِعْدادًا لِلانْقِضاضِ. وَفي هذِهِ اللَّحْظَةِ، تَرَدَّدَ في الأَجْواءِ صَدى صَرْخَةِ ذُعْرٍ حادَّةٍ.

هُنا، عَبَسَتْ جُمانَةُ قائِلَةً: «لا تَسْمَحُ مُعَلِّمَتي أَبَدًا لِلضَّوْضاءِ بِأَنْ تُعيقَ سَيْرَ عَمَلِنا. أَنا لا أَسْتَطيعُ القِراءَةَ وَسْطَ كُلِّ هذا الصُّراخِ».

وَنَظَرَ تامِرٌ خارِجَ النّافِذَةِ، ثُمَّ سَأَلَ وَالغُصَّةُ في حَلْقِهِ: «آنِسَةُ فائِزَةُ، هَلْ تَحِلُّ الصُّقورُ في قِمَّةِ هَرَمِ الْحَيَواناتِ الصّائِدَةِ؟»

فَأَوْمَأَتِ الْمُدَرِّسَةُ إِلَيْهِ بِالإِيجابِ وَقالَتْ: «الصُّقورُ، وَالنُّسورُ، وَالبومُ هِيَ مِنْ أَشْرَسِ الحَيَواناتِ الصّائِدَةِ عَلى وَجْهِ الأَرْضِ».

وَفي هذِهِ اللَّحْظَةِ، كانَتِ الْحافِلَةُ الثُّعْبانُ قَدِ انْتُزِعَتْ بِعُنْفٍ مِنْ أَرْضِ الغابَةِ، وَكانَ لِزامًا عَلَيْنا أَنْ نَتَمَسَّكَ بِمَقاعِدِنا، كَيْ لا نَتَهاوى في الْمُؤَخَّرَةِ.

نَظَرْتُ مِنَ النّافِذَةِ، فَشاهَدْتُ صَقْرًا ذا جَناحَيْنِ ضَخْمَيْنِ يَخْفِقانِ بِعُنْفٍ، وَمِنْقارٍ مِنْ أَشَدِّ الْمَناقيرِ فَتْكًا وَحِدَّةً. وَكانَتْ مَخالِبُهُ الحادَّةُ ناشِبَةً بِمُؤَخَّرَةِ رَأْسِ الْحافِلَةِ الثُّعْبانِ العَجيبَةِ.

صَرَخْتُ قائِلاً: «يا إِلهي! لَقَدْ قَبَضَ عَلَيْنا أَحَدُ هذِهِ الْحَيَواناتِ الشَّرِسَةِ الصّائِدَةِ!» وَنَظَرْتُ إِلى أَسْفَلَ، فَشاهَدْتُ ذلِكَ السَّمَنْدَرَ البُرْتُقالِيَّ الصَّغيرَ يَفِرُّ هارِبًا.

الفَصْلُ الخامِسُ

حَلَّقَ الصَّقْرُ عالِيًا، وَالثُّعْبانُ الْمَدْرَسِيُّ العَجيبُ يَتَدَلَّى بَيْنَ مَخالِبِهِ.

فَقالَتْ جُمانَةُ: « مُعَلِّمَتي لا تَتْرُكُ صَفَّنا مُتَدَلِّيًا هكَذا؛ لكِنَّ هذا لَنْ يَمْنَعَني مِنَ الوُصولِ إِلى حَلِّ اللُّغْزِ». ثُمَّ عادَتْ إِلى كِتابِها.

فَصَرَخْتُ قائِلاً: «وَمَنْ يَأْبَهُ لِلأَلْغازِ في مِثْلِ هذِهِ الأَوْقاتِ؟»

ثِقوا بِأَنَّني لَمْ أَكُنْ أُريدُ التَّكَهُّنَ بِما يُمْكِنُ أَنْ يَحْدُثَ، فيما لَوْ أَفْلَتَنا الصَّقْرُ مِنْ بَيْنِ مَخالِبِهِ. كَما أَنَّني لَمْ أَكُنْ أُريدُ أَنْ أُفَكِّرَ في ما يُمْكِنُ أَنْ يَحْدُثَ، فيما لَوْ أَنَّهُ لَمْ يُفْلِتْنا أَيْضًا.

هُنا، عَلَّقَ كَريْمٌ قائِلاً: «لَمْ أَعْرِفْ قَطُّ أَنَّهُ بِإِمْكانِنا أَنْ نَتَعَلَّمَ شَيْئًا عَنْ سِلْسِلَةِ الغِذاءِ وَنَحْنُ مُعَلَّقونَ هكَذا!»

قالَتِ الآنِسَةُ فائِزَةُ بِبُرودَةِ أَعْصابٍ: «الوُقوعُ في الأَسْرِ، أَحْيانًا، فيهِ بَعْضُ الفَوائِدِ. أَيُّها الطُّلاَّبُ... اُنْظُروا إِلى الأَسْفَلِ!

حَقًّا، إِنَّ هٰذِهِ الرِّحْلَةَ هِيَ
سَفيفٌ وَلَيْسَ طَيَرانًا!

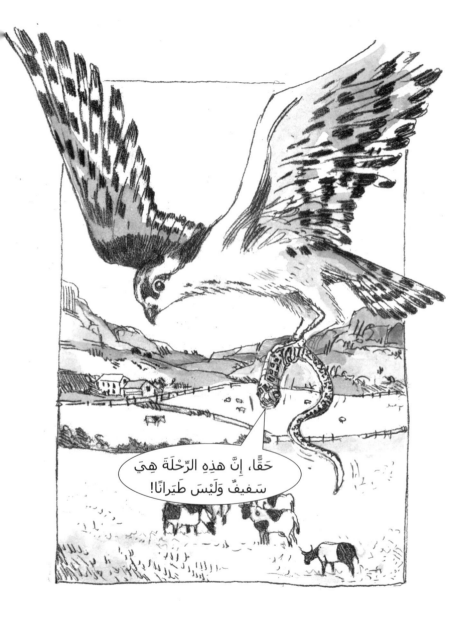

إِنَّنا نُلْقي نِظْرَةً شامِلَةً عَلى سِلْسِلَةِ غِذاءٍ مِنْ نَوْعٍ آخَرَ. إِنَّها مِنَ النَّوْعِ الَّذي اسْتَرْبَعَ فيهِ النّاسُ».

نَظَرَ رائِفٌ إِلى الأَسْفَلِ، وَقالَ: «كُلُّ ما أَراهُ هُوَ قَطيعٌ مِنَ البَقَرِ، وَبَعْضُ الحَظائِرِ».

بِطَريقَةٍ ما، أَجْبَرْتُ نَفْسي عَلى النَّظَرِ أَيْضًا. كانَ الصَّقْرُ قَد حَمَلَنا بَعيدًا عَنِ الغاباتِ. هُناكَ الآنَ مَزارِعُ تَحْتَنا، وَأَبْقارٌ تَرْعَى في الْمَراعي الْمُجاوِرَةِ لِحُقولِ الذُّرَةِ. بِالإِضافَةِ إِلى خُيولٍ، وَدَجاجٍ، وَحَيَواناتٍ أُخْرى، تَأْكُلُ مِنَ الْمَعالِفِ القَريبَةِ مِنَ الحَظائِرِ.

قالَتْ دانِيَةُ مُخاطِبَةً الآنِسَةَ فائِزَةَ: «أَظُنُّ أَنَّني فَهِمْتُ قَصْدَكِ. فَعِنْدَما يَزْرَعُ الفَلّاحونَ الزَّرْعَ، أَوْ يُرَبّونَ الْماشِيَةَ، كَالأَبْقارِ وَالدَّجاجِ، فَإِنَّهُم بِذلِكَ يَتَحَكَّمونَ في سِلْسِلَةِ الأَطْعِمَةِ الَّتي تَمُدُّ النّاسَ بِالغِذاءِ».

فَرَدَّتِ الآنِسَةُ فائِزَةُ: «تَمامًا!»

قَلَبَتْ جُمانَةُ صَفْحَةً مِنْ مَوْسوعَتِها، وَلَمْ يَكُنْ يَبْدو أَنَّها قَدْ سَمِعَتْ شَيْئًا مِمّا قالَهُ التَّلاميذُ الآخَرونَ.

أَمّا رَشا، فَقالَتْ: «إِذًا، فَالذُّرَةُ وَالْمَحاصيلُ الأُخْرى هِيَ الحَلْقَةُ الأولى في سِلْسِلَةِ الغِذاءِ الزِّراعِيَّةِ». ثُمَّ نَظَرَتْ مِنَ

النّافِذَةِ نَحْوَ الأَوْراقِ الخُضْرِ الَّتي تَعْلو عيدانَ الذُّرَةِ، وَأَضافَتْ: «إِنَّها تَسْتَمِدُّ الطّاقَةَ الضَّوْئِيَّةَ مِنَ الشَّمْسِ، وَتُحَوِّلُها إِلى طاقَةٍ كَرْبوهَيْدراتِيَّةٍ، تَسْتَخْدِمُها الحَيواناتُ الأُخْرى غِذاءً».

أَجابَتْها دانِيَةُ: «بِكُلِّ تَأْكيدٍ، فَالأَبْقارُ، وَالدَّجاجُ، وَحَيواناتُ الْمَزْرَعَةِ الأُخْرى هِيَ الحَلْقَةُ الثّانِيَةُ في سِلْسِلَةِ الغِذاءِ، لِأَنَّها تَأْكُلُ الذُّرَةَ وَالنَّباتاتِ الأُخْرى الَّتي يَزْرَعُها الفَلّاحونَ».

فَقالَتِ الآنِسَةُ فائِزَةُ: «أَنْتِ مُحِقَّةٌ. وَهُناكَ مُسْتَوًى آخَرُ في سِلْسِلَةِ الغِذاءِ هذِهِ، فَهَلْ يَسْتَطيعُ أَحَدُكُمْ أَنْ يُحَدِّدَ مَنْ يَحْتَلُّ قِمَّتَها؟»

أَجابَ تامِرٌ: «النّاسُ!»

فَقالَتِ الآنِسَةُ فائِزَةُ مُؤَيِّدَةً كَلامَهُ: «هُمْ بِالتَّأْكيدِ. يَبْدو، يا تامِرُ، أَنْكَ تَهْضِمُ تَمامًا الحَقائِقَ الْمُتَعَلِّقَةَ بِالسَّلاسِلِ الغِذائِيَّةِ».

دَخَلَتْ جُمانَةُ عَلى خَطِّ الْحِوارِ الدّائِرِ، وقالَتْ مُتَباهِيَةً: «لَيْسَ بِالسُّرْعَةِ الَّتي أَهْضِمُ بِها الحَقائِقَ الْمَوْجودَةَ في كِتابي. فَمَعْلوماتي تَقولُ إِنَّ النّاسَ تَأْكُلُ ما هُوَ أَكْثَرُ مِنَ اللُّحومِ».

رَدَّتْ دانِيَةُ مُوافِقَةً: «بِالطَّبْعِ. فَنَحْنُ نَأْكُلُ الخَسَّ، وَالذُّرَةَ، وَالقَمْحَ، وَحُبوبَ الصّويا، وَكُلَّ أَنْواعِ الفاكِهَةِ، وَالكَثيرَ مِنَ النَّباتاتِ الأُخْرى أَيْضًا. وَالنَّباتِيّونَ مِنَ النّاسِ لا يَأْكُلونَ اللُّحومَ عَلى الإِطْلاقِ».

وَعَقَّبَتْ فاتِنُ بِقَوْلِها: «هذا صَحيحٌ. فَالبَشَرُ يُمْكِنُهُمْ أَنْ يَأْكُلوا النَّباتَ وَاللَّحْمَ عَلى السَّواءِ، وَهذا ما يَجْعَلُنا مِنَ النَّوْعِ القارِتِ!» ثُمَّ ابْتَسَمَتْ، وَرَفَعَتْ لائِحَةَ الأَلْغازِ، وَقالَتْ: «إِذًا، فَنَحْنُ عَلى رَأْسِ لائِحَةِ الضَّواري الَّذينَ يَقْتاتونَ مِنَ الطَّبيعَةِ، وَمِنْ سَلاسِلِ الغِذاءِ الَّتي نَتَحَكَّمُ فيها. فَالجَوابُ عَنِ اللُّغْزِ الرّابِعِ هُوَ البَشَرُ».

رَفَعَ تامِرٌ يَدَهُ إِلى أَعْلى مؤَيِّدًا، وَقالَ لَها: «أَحْسَنْتِ يا فاتِنُ! بَقِيَ أَمامَنا لُغْزانِ، فَحَسْبُ!»

اِسْتَوَتْ جُمانَةُ في جِلْسَتِها، وَقالَتْ: «الفَضْلُ يَعودُ لي وَلِأَبْحاثي».

لَمْ أَعُدْ واثِقًا أَيُّهُما الأَسْوَأُ: أَوُقوعٌ بَيْنَ براثِنِ صَقْرٍ جائِعٍ، أَمِ إِصْغاءٌ إِلى تَباهي جُمانَةَ؟!»

ثُمَّ سَأَلَتْ فاتِنُ: «وَهَلْ نَفْقِدُ الطّاقَةَ، أَيْضًا، في سِلْسِلَةِ الغِذاءِ الَّتي يَتَحَكَّمُ فيها الإِنْسانُ؟»

فَتَحَتْ جُمانَةُ فَاها لِتُجيبَ عَنِ السُّؤالِ، إِلاّ أَنَّ دانِيَةَ كانَتْ أَسْرَعَ مِنْها، فَقالَتْ: «يُفْقَدُ بَعْضُ الطّاقَةِ خِلالَ انْتِقالِها بَيْنَ حَلْقَةٍ وَأُخْرى مِنْ حَلَقاتِ سِلْسِلَةِ الغِذاءِ».

ما سَمِعْتُهُ، دَفَعَني إِلى التَّفْكيرِ في أَمْرٍ، عَبَّرْتُ عَنْهُ بِالسُّؤالِ: «إِذا كانَ هُناكَ الكَثيرُ مِنَ النَّباتاتِ في قاعِ هَرَمِ الطّاقَةِ، أَفَلا يَكونُ مَنْطِقِيًّا أَكْثَرَ أَنْ تَكْتَفِيَ كُلُّ الْحَيَواناتِ بِأَكْلِ النَّباتاتِ فَحَسْبُ؟»

هُنا، تَدَخَّلَتِ الآنِسَةُ فائِزَةُ شارِحَةً: «لِكُلِّ نِظامٍ بيئِيٍّ تَوازُنٌ يَعْتَمِدُ عَلى تَنَوُّعِ الغِذاءِ بَيْنَ الحَيَواناتِ. وَالْحَيَواناتُ، كَما تَعْلَمونَ، تَتَكاثَرُ أَعْدادُها بِفِعْلِ التَّناسُلِ. فَلَوْ كانَتِ الْحَيَواناتُ كُلُّها مِنْ أَكَلَةِ الأَعْشابِ، لَأَكَلَتْ كُلَّ النَّباتاتِ، فَلا يَبْقى

مِنْها شَيْءٌ».

وَأَضافَتْ دانِيَةُ: «وَإِذا انْقَرَضَتِ النَّباتاتُ، فَإِنَّ الْحَيَواناتِ سَتَنْقَرِضُ أَيْضًا. وَلٰكِنْ، إِذا كانَتِ الْحَيَواناتُ بَعْضُها عاشِبٌ، وَبَعْضُها الآخَرُ لاحِمٌ، أَوْ قارِتٌ...»

وَإِذا بِجُمانَةَ تُقاطِعُ دانِيَةَ قائِلَةً: «إِذًا، سَيَكونُ لِجَميعِ الكائِناتِ الْحَيَّةِ، في نِظامٍ بيئِيٍّ مُعَيَّنٍ، ما يَكْفيها مِنَ الطَّعامِ لِلْبَقاءِ عَلى قَيْدِ الْحَياةِ».

كُلُّ ما تَمَنَّيْتُهُ هُوَ أَنْ أَتَمَكَّنَ مِنْ تَحَمُّلِ أَجْواءِ الْمُنافَسَةِ

غِذاءُ النَّباتِ وَغِذاءُ الحَيَوانِ

بِقَلَمِ أَنْوَرٍ

بِإِمْكانِ مِساحَةٍ مِنَ الأَرْضِ تَوْفيرُ الطَّعامِ لِلْكائِناتِ الْعاشِبَةِ، أَكْثَرَ مِمّا هُوَ بِإِمْكانِها تَوْفيرُهُ لِلْكائِناتِ اللّاحِمَةِ. وَإِلَيْكُمْ بَعْضَ الحَقائِقِ الزِّراعِيَّةِ الَّتي توضِحُ ذٰلِكَ: إِذا كانَ لَدى فَلّاحٍ مِساحَةُ سِتَّةِ آلافِ مِتْرٍ مُرَبَّعٍ مِنَ الذُّرَةِ، فَإِنَّهُ يَسْتَطيعُ اسْتِخْدامَ الذُّرَةِ لِتَغْذِيَةِ عَشَرَةِ أَشْخاصٍ. لٰكِنْ، إِذا قامَ الفَلّاحُ بِتَغْذِيَةِ الأَبْقارِ بِهٰذِهِ الذُّرَةِ، ثُمَّ اسْتَخْدَمَ الأَبْقارَ غِذاءً، فَإِنَّ الذُّرَةَ سَوْفَ تَكْفي شَخْصًا واحِدًا فَقَطْ. وَذٰلِكَ لِأَنَّ الطّاقَةَ فُقِدَتْ بَيْنَ مُسْتَوَياتِ سِلْسِلَةِ الغِذاءِ.

بَيْنَ دانِيَةَ وَجُمانَةَ. طَبْعًا، مِنْ دونِ ذِكْرِ تَحَمُّلِنا رِحْلَتَنا بَيْنَ مَخالِبِ الصَّقْرِ!

وَإِذا بِرَنْدَةَ تُعْلِنُ: «نَحْنُ عَلى وَشْكِ الْهُبوطِ، يا رِفاقُ!»

وَهَبَطَ الصَّقْرُ عَلى شَجَرَةٍ، عِنْدَ حافَةِ مُسْتَنْقَعٍ مالِحٍ يَتَصِلُ مِنْ إِحْدى جِهاتِهِ، بِمُحيطٍ شاسِعٍ.

لِكِنَّنا لَمْ نَكُنْ مُهْتَمّينَ بِرُؤْيَةِ مَنْظَرِ الْمِياهِ، وَخُصوصًا أَنَّ الصَّقْرَ مازالَ يَلُفُّ مَخالِبَهُ حَوْلَ الْحافِلَةِ الثُّعْبانِ العَجيبَةِ.

قالَتْ رَشا: «لا تُعْجِبُني لَمْعَةُ الجوعِ في هاتَيْنِ العَيْنَيْنِ الخَرَزِيَّتَيْنِ. وَانْظُروا إِلى مِنْقارِهِ أَيْضًا!»

فَتَمْتَمْتُ قائِلاً: «أَهذا ضَروريٌّ؟»

وَفَجْأَةً، تَحَرَّكَ الصَّقْرُ، وَصَوَّبَ رَأْسَهُ نَحْوَ الْحافِلَةِ الثُّعْبانِ العَجيبَةِ... وَنَحْوَنا!

فَصَرَخْتُ قائِلاً، بَيْنَما كُنْتُ أَغوصُ في مَقْعَدي: «يا لَلْهَوْلِ...لَقَدْ قُضيَ عَلَيْنا!»

الفَصْلُ السّادِسُ

لَمْ أَسْتَطِعْ حَمْلَ نَفْسي على النَّظَرِ، فَقَدْ كانَ الْمَشْهَدُ مُريعًا.

وَإِذا بِصَوْتِ الآنِسَةِ فائِزَةَ الْمُطَمْئِنِ يَقولُ: «لا تَقْلَقوا، يا أَوْلادُ! فَالْحافِلَةُ الثُّعْبانُ العَجيبَةُ يُمْكِنُها التَّخَلُّصُ مِنَ الْمَواقِفِ الْحَرِجَة».

ثُمَّ ضَغَطَتْ أَحَدَ الأَزْرارِ، وَبَدَأَتِ الْحافِلَةُ الثُّعْبانُ العَجيبَةُ تَتَقَلَّبُ وَتَتَلَوّى بِعُنْفٍ، فَشَعَرْتُ وَكَأَنَّنا فَوْقَ حِصانٍ جامِحٍ.

صَرَخَتْ جُمانَةُ بِأَسًى: «لا...لا...! كِتابي!»

لَقَدْ أَفْلَتَتْ مَوْسوعَتُها العِلْمِيَّةُ مِنْ بَيْنِ يَدَيْها، وَاخْتَفَتْ.

كَما أَدّى اهْتِزازُ الْحافِلَةِ العَنيفُ إِلى انْزِلاقِ كِتابِ دانِيَةَ، أَيْضًا، عَنِ الطّاوِلَةِ.

فَقالَتْ هذِهِ الأَخيرَةُ بِدَوْرِها: «ها قَدْ ضاعَ كِتابي أَيْضًا!»

كُنّا نَتَخَبَّطُ بِعُنْفٍ، وَلَمْ نَسْتَطِعْ رُؤْيَةَ ما حَلَّ بِالْكِتابَيْنِ.

لكِنْ، أَتَعْلَمونَ شَيْئًا؟ إِنَّ هذِهِ الاهْتِزازاتِ أَدَّتْ غَرَضَها. فَقَدْ

تَحَرَّرَتِ الْحافِلَةُ الثُّعْبانُ العَجيبَةُ مِنْ مَخالِبِ الصَّقْرِ. وَفي أَثْناءِ هُبوطِنا، رَأَيْنا أَعْشابَ الْمُسْتَنْقَعِ، وَحَشائِشَهُ الْمُتَنَوِّعَةَ.

وَإِذا بِنا نَسْمَعُ صَوْتَ ارْتِطامٍ بِالْمِياهِ!

هَبَطْنا وَسَطَ الْمُسْتَنْقَعِ الْمالِحِ، وَأَخَذَتْ فَقاقيعُ الْمِياهِ تَنْتَشِرُ حَوْلَ نَوافِذِ الْحافِلَةِ. نَظَرْتُ مُتَفَقِّدًا جُمانَةَ، وَإِذا بِها غافِلَةٌ تَمامًا. فَقَدْ كانَتْ مُنْهَمِكَةً في البَحْثِ عَنْ كِتابِها تَحْتَ الطّاوِلَةِ، بَيْنَما كانَتْ دانِيَةُ تَبْحَثُ، بِدَوْرِها، عَنْ كِتابِها خَلْفَ آلَةِ الحاكي.

ثُمَّ قالَتْ دانِيَةُ: «هذا غَريبٌ، لَمْ أَعْثُرْ عَلى كِتابَيْنا في أَيِّ مَكانٍ. يَبْدو وَكَأَنَّ مَطْعَمَ «اللُّقْمَةِ الشَّهِيَّةِ» قَدِ الْتَهَمَهُما».

فَعَلَّقَ رائِفٌ ساخِرًا: «تَأَكَّدي أَنَّ هذا لَنْ يَكونَ أَغْرَبَ ما يَحْصُلُ في رِحْلاتِ الانِسَةِ فائِزَةَ الْمَيْدانِيَّةِ».

لَمْ تَكُنْ جُمانَةُ سَعيدَةً لِسَماعِ ذلِكَ، فَقالَتْ: «لكِنْ... كَيْفَ يُمْكِنُني أَنْ أَتَعَلَّمَ عَنْ سَلاسِلِ الغِذاءِ مِنْ دونِ كِتابي العِلْمِيِّ؟ فَلَنْ يَكونَ بِاسْتِطاعَتي، أَبَدًا، الإِجابَةُ عَنِ اللُّغْزَيْنِ الأَخيرَيْنِ مِنْ أَلْغازِ سِلْسِلَةِ الأَغْذِيَةِ الغَريبَةِ».

فَأَجابَها تامِرٌ: «لا تَجْزِمي الأَمْرَ. فَرِحْلاتُ الآنِسَةِ فائِزَةَ قَدْ تَكْشِفُ عَنْ مَعْلوماتٍ مُذْهِلَةٍ. كُلُّ ما عَلَيْكِ أَنْ تَفْعَليهِ هُوَ

مُراقَبَةُ ما يَجْري حَوْلَكِ!»

كانَتْ جُمانَةُ لا تَزالُ تَبْحَثُ عَنْ كِتابِها جاثِيَةً عَلى رُكْبَتَيْها وَيَدَيْها، وَلَمْ تَنْظُرْ مِنَ النّافِذَةِ. أَمّا نَحْنُ، فَقَدْ فَعَلْنا ذلِكَ، وَلاحَظْنا أَنَّ الْحافِلَةَ العَجيبَةَ بَدَأَتْ تَتَغَيَّرُ مُجَدَّدًا. فَبَدَلاً مِنْ جِسْمِ ثُعْبانٍ طَويلٍ مَليءٍ بِالحَراشِفِ، أَصْبَحَ لَدَيْنا الآنَ خَياشيمُ، وَزَعانِفُ، وَذَيْلٌ يَتَمَوَّجُ بِخِفَّةٍ في الْماءِ.

فَصاحَتْ دانِيَةُ: «لَقَدْ أَصْبَحتِ الْحافِلَةُ سَمَكَةً!»

قالَتِ الآنِسَةُ فائِزَةُ: «إِنَّ السِّباحَةَ مَعَ الأَسْماكِ وَسيلَةٌ رائِعَةٌ لِرُؤْيَةِ الْمَخْلوقاتِ الصَّغيرَةِ الْمَوْجودَةِ في قاعِ سِلْسِلَةِ الغِذاءِ البَحْرِيَّةِ».

وَأَرْدَفَتْ رَشا وَهِيَ تُشيرُ إِلى تَجَمُّعٍ كَبيرٍ مِنْ قَواقِعِ البَحْرِ الصَّغيرَةِ الَّتي كانَتْ تَلْتَصِقُ بِأَعْشابِ الْمُسْتَنْقَعِ: «مِثْلَ تِلْكَ الْحَلَزوناتِ. إِنَّها تَأْكُلُ أَعْشابَ الْمُسْتَنْقَعِ الَّتي تَنْمو في القاعِ... أَصَحيحٌ؟»

فَأَجابَتِ الآنِسَةُ فائِزَةُ: «بِالضَّبْطِ، يا رَشا! إِنَّ سِلْسِلَةَ الغِذاءِ في الْمِياهِ تَشْبِهُ، تَمامًا، سِلْسِلَةَ الغِذاءِ عَلى اليابِسَةِ. فَطاقَةُ الكَرْبوهَيْدْراتِ الْمُخْتَزَنَةُ في حَشائِشِ الْمُسْتَنْقَعِ تَنْتَقِلُ إِلى

الحَلَزوناتِ، وَبَعْضُها يَنْتَقِلُ إِلى الحَلْقَةِ التّالِيَةِ مِنْ سِلْسِلَةِ الغِذاءِ، أَيِ الْحَيَواناتِ الَّتي تَصْطادُ الحَلَزوناتِ قوتًا لَها».

عِنْدَها، قالَ كَريْمٌ: «هذا كَلامٌ مَعْقولٌ، إلاّ أَنَّ... » ثُمَّ عَضَّ عَلى شَفَتَيْهِ، وَنَظَرَ حَوْلَهُ، وَتَساءَلَ: «أَيْنَ الحَيَواناتُ الَّتي تَأْكُلُ الحَلَزوناتِ؟»

نَظَرْنا حَوْلَنا، فَلَمْ نَرَ أَيَّ مَخْلوقاتٍ تَصْطادُ الحَلَزوناتِ الْمَوْجودَةَ في الْمُسْتَنْقَعِ، لكِنْ بَعْضَنا لَمْ يَكُنْ يَنْظُرُ إِلى الحَلَزوناتِ.

ثُمَّ سَمِعْنا جُمانَةَ تَقولُ: «أَنا واثِقَةٌ بِأَنَّني قادِرَةٌ عَلى التَوَصُّلِ إِلى الإجابَةِ، في حالِ عَثَرْتُ عَلى كِتابي». وَتابَعتِ البَحْثَ خَلْفَ الْمَقاعِدِ، وَعَلى الأَرْضِ تَحْتَ الطّاوِلاتِ... بَحَثَتْ في كُلِّ مَكانٍ، ما عَدا خارِجَ النّافِذَةِ.

أَخيرًا، أَشارَ رائِفٌ إِلى سَرَطانٍ بَحْرِيٍّ أَزْرَقِ اللَّوْنِ، يَتَسَلَّقُ إِحْدَى نَباتاتِ البَحْرِ. كانَ مُمْسِكًا حَلَزونَةً بِمَخالِبِهِ القَوِيَّةِ. ثُمَّ قالَ: «حَسَنًا، إِنَّ هذا هُوَ أَحَدُ الْحَيَواناتِ الْمُفْتَرِسَةِ. لكِنْ، ما دامَ هُناكَ الْمِئاتُ مِنَ الحَلَزوناتِ، فَلِماذا لا يوجَدُ الكَثيرُ مِنَ السَّرَطاناتِ لِتَقْتاتَ بِها؟»

أَشارَتْ رَنْدَةُ إِلى فَخٍّ مَصْنوعٍ مِنَ الأَسْلاكِ، عَلى هَيْئَةِ صُنْدوقٍ، كانَ نِصْفُهُ مُخَبَّأً خَلْفَ سيقانِ نَباتاتِ الْمُسْتَنْقَعِ. ثُمَّ قالَتْ: «لأَنَّها عالِقَةٌ هُناكَ! فَلا بُدَّ أَنَّ نِصْفَ دَزّينَةٍ مِنَ السَّرَطاناتِ داخِلَ الفَخِّ».

وَفيما كانَتِ الْحافِلَةُ السَّمَكَةُ العَجيبَةُ تَسْبَحُ في أَرْجاءِ الْمُسْتَنْقَعِ، رَأَيْنا الْمَزيدَ مِنَ الفِخاخِ، أَرْبَعَةٌ مِنْها مَليئَةٌ بِالسَّرَطاناتِ الَّتي عَجَزَتْ عَنِ الإِفْلاتِ.

هُنا، قالَتِ الآنِسَةُ فائِزَةُ: «أَحْيانًا، تَحْدُثُ أُمورٌ تُؤَدّي إِلى

الإِخْلالِ بِالتَّوازُنِ الْمَوْجودِ بَيْنَ الكائِناتِ الحَيَّةِ، في أَيِّ نِظامٍ بيئيٍّ».

أَوْمَأَتْ دانيَةُ بِرَأْسِها إِلى الفِخاخِ السِّلْكِيَّةِ، وَقالَتْ: «تَمامًا كَما يَحْصُلُ عِنْدَما يَصْطادُ الصَّيّادونَ العَديدَ مِنْ سَرَطاناتِ البَحْرِ».

وَأَضافَتِ الآنِسَةُ فائِزَةُ مُوَضِّحَةً: «بِالضَّبْطِ! فَإِنَّ تَكاثُرَ أَعْدادِ الْحَلَزوناتِ، بِفِعْلِ التَّناسُلِ، لا يُمْكِنُ ضَبْطُهُ إِلاّ بِوُجودِ أَعْدادٍ كَبيرَةٍ مِنَ السَّرَطاناتِ. وَإِنَّ ازْدِيادَ أَعْدادِ الْحَلَزوناتِ مِنْ شَأْنِهِ تَدْميرُ نَباتِ الْمُسْتَنْقَعِ الَّذي تَسْتَخْدِمُهُ تِلْكَ الْحَلَزوناتُ قوتًا لَها».

كانَتِ الآنِسَةُ فائِزَةُ مُحِقَّةً. فَلَقَدْ رَأَيْتُ مِساحاتٍ خالِيَةً مِنَ الأَعْشابِ في قاعِ الْمُسْتَنْقَعِ، وَلَمْ أَلْحَظْ سِوى أَوْراقٍ قَليلَةٍ مِنَ العُشْبِ الْمُلْتَصِقِ بِالوَحْلِ.

فَقُلْتُ: «مِنْ دونِ نَباتاتِ الْمُسْتَنْقَعِ، لَنْ يَكونَ هذا الْمَكانُ سِوى مَنْطِقَةٍ موحِلَةٍ».

عَبَسَتْ رَشا، وَقالَتْ: «وَبِالتّالي، لَنْ يَكونَ ثَمَّةَ طَعامٌ لِلْحَلَزوناتِ الَّتي سَتَنْقَرِضُ هِيَ أَيْضًا».

رَدَّتِ الآنِسَةُ فائِزَةُ: «هذِهِ حَقيقَةٌ مُحْزِنَةٌ. فَالتَّغَيُّرُ الَّذي يَطْرَأُ في حَلْقَةٍ واحِدَةٍ مِنْ حَلَقاتِ سِلْسِلَةِ الغِذاءِ قَدْ يُؤَثِّرُ في جَميعِ

الحَيَواناتِ داخِلَ هذِهِ السِّلْسِلَةِ، وَفي النِّظامِ البيئيِّ بِرُمَّتِهِ. لِذلِكَ، لا بُدَّ مِنْ أَنْ يُؤَدِّيَ كُلٌّ مِنّا دَوْرَهُ في رِعايَةِ الأَرْضِ».

وَإذا بِكَريْم يَقولُ: «يُمْكِنُني القَوْلُ إنَّ تَغَيُّراتٍ كَبيرَةً تَحْدُثُ الآنَ. فَنَحْنُ مُتَّجِهونَ رَأْسًا نَحوَ البَحْرِ».

أَكُنْتُ بِحاجَةٍ إلى سَماعِ هذا الكَلامِ؟ حَتْمًا لا! وَلكِنْ، عِنْدَما نَظَرْتُ مِنْ نافِذَةِ الْحافِلَةِ، اِكْتَشَفْتُ أَنَّ كَريْمًا كانَ

عَمَلِيَّةُ التَّوْزيعِ داخِلَ سِلْسِلَةِ الغِذاءِ

بِقَلَمِ تامِرٍ

لَيْسَتِ الطّاقَةُ الشَّيْءَ الوَحيدَ الَّذي يَمُرُّ عَبْرَ سِلْسِلَةِ الغِذاءِ. فَالسُّمومُ الَّتي يُمْكِنُ أَنْ تُؤْذِيَ الحَيَواناتِ، وَتُضِرَّ بِالبيئَةِ، تَمُرُّ أَيْضًا في هذِهِ السِّلْسِلَةِ!

فَالطَّحالِبُ وَنَباتاتُ البَحْرِ تَمْتَصُّ السُّمومَ مِنَ النَّهْرِ الْمُلَوَّثِ؛ وَعِنْدَما يَأْكُلُ السَّمَكُ الطَّحالِبَ، يَأْكُلُ سُمومَها أَيْضًا. وَالأَسْماكُ الَّتي تَسْبَحُ عَبْرَ النَّهْرِ، نَحْوَ الْمُحيطِ، تَأْكُلُها الأَسْماكُ الكَبيرَةُ. فَهِيَ إذًا، تَمْتَصُّ السُّمومَ أَيْضًا. وَبِذلِكَ، تَنْتَقِلُ السُّمومُ إلى أَعْلى سُلَّمِ سِلْسِلَةِ الغِذاءِ، نَحْوَ الحَيَواناتِ البَحْرِيَّةِ المُفْتَرِسَةِ، كَأَسْماكِ القِرْشِ.

مُحِقًّا. ثُمَّ سَمِعْتُ الآنِسَةَ فائِزَةَ تَقولُ: «هَيّا، يا أَوْلادُ! إِذا كانَ عَلَيْنا حَلُّ هذِهِ الأَلْغازِ، فَنَحْنُ بِحاجَةٍ إِلى اسْتِكْشافِ أَعْماقِ البَحْرِ».

سَمِعْتُ مُحَرِّكَ الْحافِلَةِ يَهْدُرُ، وَإِذا بِالآنِسَةِ فائِزَةَ تُوَجِّهُ الْحافِلَةَ السَّمَكَةَ العَجيبَةَ بَعيدًا عَنِ الْمُسْتَنْقَعِ. وَلَمْ يَمْضِ وَقْتٌ طَويلٌ، حَتّى اخْتَفى الْمُسْتَنْقَعُ وَضِفافُهُ عَنْ أَنْظاري. كُلُّ ما أَمْكَنَني رُؤْيَتُهُ هُوَ الْمِياهُ تُحيطُ بي مِنْ كُلِّ جانِبٍ. فَشَكَكْتُ في احْتِمالِ نَجاحِنا في الوُصولِ إِلى الْمُتْحَفِ.

الفَصْلُ السّابِعُ

رَفَعْتُ بَصَري نَحْوَ ضَوْءِ الشَّمْسِ الَّذي اخْتَرَقَ مِياهَ الْمُحيطِ، وَقُلْتُ، مُنْدَهِشًا: «إِنَّنا حَقًّا في الْعُمْقِ الآنَ!»

وَصاحَتْ جُمانَةُ غاضِبَةً: «إِنَّني في مُشْكِلَةٍ عَميقَةٍ مِنْ دونِ كِتابي». ثُمَّ أَوْقَفَتِ البَحْثَ عَنْ كِتابِها، وَجَلَسَتْ في الْمَقْعَدِ الْمُجاوِرِ لي، وَقالَتْ: «مِنَ الْمُؤْسِفِ يا أَنْوَرُ، أَنَّ مُعَلِّمَتَكَ لَيْسَتْ نِظامِيَّةً مِثْلَ مُعَلِّمَتي».

هُنا، تَدَخَّلَتْ دانِيَةُ مُعَلِّقَةً: «في الواقِعِ، إِنَّ أَنْوَرًا كانَ يَتَحَدَّثُ عَنْ وُجودِنا في عُمْقِ النِّظامِ البيئِيِّ لِلْمُحيطِ. أَلْقي نَظْرَةً!»

أَعْتَرِفُ بِأَنَّ الْمَشْهَدَ كانَ مُذْهِلاً. فَالْمَخْلوقاتُ البَحْرِيَّةُ في كُلِّ مَكانٍ. رَأَيْنا القُرَيْدِسَ الصَّغيرَ، وَالكَثيرَ مِنَ الأَسْماكِ تَسْبَحُ قُطْعانًا، مِنْها الصَّغيرُ الْحَجْمِ، كَأَسْماكِ الرَّنْكَةِ، وَمِنْها الكَبيرُ الْحَجْمِ، كَأَسْماكِ القاروسِ (ذِئابِ البَحْرِ)، وَ«الْمَكرِلِ»، حَتّى

أَسْماكُ القِرْشِ الضَّخْمَةُ كانَتْ ظاهِرَةً لِلْعِيانِ. لَمْ نَتَمَكَّنْ مِنْ إشاحَةِ أَبْصارِنا عَنْ هذا الْمَشْهَدِ. وَبِكَلامٍ أَدَقَّ، فَإِنَّ مُعْظَمَنا لَمْ يَتَمَكَّنْ مِنْ ذلِكَ.

عادَ صَوْتُ جُمانَةَ يَرِنُّ في أُذُنَيَّ: «في صَفِّنا، لا نُحَدِّقُ مِنْ خِلالِ النَّوافِذِ، عِنْدَما يَكونُ لَدَيْنا عَمَلٌ يَجِبُ إِنْجازُهُ. أَفَلا يَنْبَغي لَنا أَنْ نُجِيبَ عَنْ أَلْغازِ الأَغْذِيَةِ الغَرِيبَةِ؟» ثُمَّ أَخَذَتِ اللّائِحَةَ مِنْ يَدِي، وَبَدَأَتِ القِراءَةَ.

لكِنْ، أَوَتَعْلَمونَ شَيْئًا؟ لَقَدْ رَأَيْتُ عَيْنَيْ جُمانَةَ تَتَسَلَّلانِ، أَيْضًا، عَبْرَ نَوافِذِ الْحافِلَةِ السَّمَكَةِ العَجِيبَةِ. وَبِما أَنَّ كِتابَها لَمْ يَعُدْ بِحَوْزَتِها، فَأَعْتَقِدُ أَنَّها لَمْ تَسْتَطِعْ رَدْعَ نَفْسِها عَنْ ذلِكَ. ثُمَّ ما لَبِثَتْ أَنْ قالَتْ: «اللُّغْزُ التّالي هُوَ عَنِ الْمُحِيطاتِ».

الأَغْذِيَةُ الغَرِيبَةُ – اللُّغْزُ الخامِسُ

هُمُ الحَلْقَةُ الأُولَى في مُعْظَمِ السَّلاسِلِ الغِذائِيَّةِ الْمُحِيطِيَّةِ. يُؤَدّونَ الوَظِيفَةَ نَفْسَها الَّتي تُؤَدّيها النَّباتاتُ الخَضْراءُ عَلى اليابِسَةِ، وَهِيَ إِنْتاجُ طاقَةِ الكَرْبوهَيْدْراتِ. قَدْ تَكونُ أَحْجامُهُمْ صَغِيرَةً، لكِنَّهُمْ يَقومونَ بِعَمَلٍ كَبِيرٍ. فَمَنْ هُمْ؟

الجَوابُ: _____

فِي هذِهِ اللَّحْظَةِ، بَدَتْ سَمَكَةُ قِرْشٍ خارِجَ نَوافِذِ الْحافِلَةِ. فَاتَّسَعَتْ عَيْنا جُمانَةَ حينَ رَأَتِ القِرْشَ يَتَّجِهُ صَوْبَ سِرْبٍ مِنْ سَمَكِ التّونا، وَينْتَزِعُ واحِدَةً مِنْهُ بَيْنَ فَكَّيْهِ، ثُمَّ يَقْضِمُها.

فَعَلَّقَتْ، قائِلَةً: «هذا الْمَشْهَدُ يَبْدو أَكْثَرَ واقِعِيَّةً مِنَ الصُّوَرِ الْمَوْجودَةِ في كِتابي».

فَابْتَسَمْنا جَميعًا. وَأَخيرًا، بَدَأَتْ جُمانَةُ تَسْتَوْعِبُ الفِكْرَةَ مِنَ الرِّحْلَةِ.

ثُمَّ قالَتْ فاتِنُ: «أَسْماكُ القِرْشِ تَتَرَبَّعُ عَلى قِمَّةِ سِلْسِلَةِ الغِذاءِ. أَلَيْسَ كَذلِكَ؟ لكِنْ، كَيْ نَحُلَّ اللُّغْزَ، نَحْتاجُ إِلى مَعْرِفَةِ الْمَخْلوقاتِ الَّتي تَصْنَعُ الطَّعامَ في أَسْفَلِ هذِهِ السِّلْسِلَةِ. لِذلِكَ، نَحْنُ بِحاجَةٍ إِلى أَنْ نَجِدَ شَيْئًا أَصْغَرَ».

كانَتْ جُمانَةُ مُسْتَرْسِلَةً في التَّحْديقِ خارِجَ النَّوافِذِ، حينَ قالَتْ: «أَسْماكُ القُرَيْدِسِ الصَّغيرَةُ هذِهِ تَأْكُلُ شَيْئًا يُشْبِهُ حُبَيْباتِ الغُبارِ في الْماءِ».

فَقالَتِ الآنِسَةُ فائِزَةُ: «هذِهِ مُلاحَظَةٌ مُمْتازَةٌ، يا جُمانَةُ! فَأَسْماكُ القُرَيْدِسِ الصَّغيرَةَ تِلْكَ تُسَمّى «كْرِل»، وَالبُقَعُ الَّتي تَرَيْنَها عِبارَةٌ عَنْ عَوالِقَ، وَنَباتاتٍ بَحْرِيَّةٍ دَقيقَةٍ، يَقْتاتُ بِها

أُنْظُروا – هذا سِرْبٌ آخَرُ!

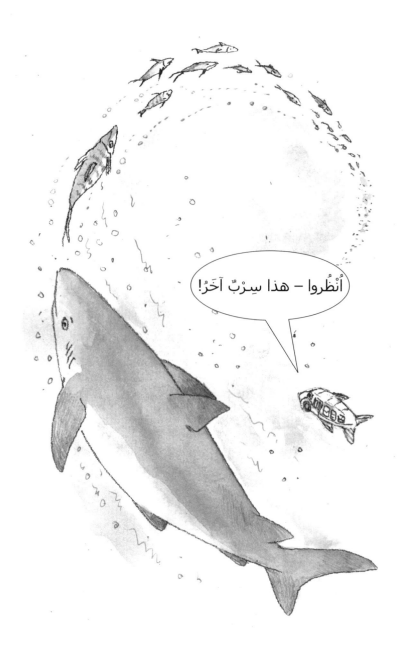

غِذاءُ السَّمَكِ العائِمُ

بِقَلَمِ رائِفٍ

العَوالِقُ نَباتاتٌ وَحَيَواناتٌ بَحْرِيَّةٌ صَغيرَةٌ جِدًّا، تَطْفو في البِحارِ وَالبُحَيْراتِ. وَيَحْتَوي العَديدُ مِنْها عَلى مادَّةِ «الكْلوروفِل» (اليَخْضورِ)، فَتُسَمّى، عِنْدَئِذٍ، بِالنَّباتاتِ الْمُعَلَّقَةِ، أَوِ الْمَغْمورَةِ (لِأَنَّها تَعيشُ مَغْمورَةً في الْمِياهِ، لا طافِيَةً وَلا راسِيَةً). وَتَسْتَخْدِمُ البَلايينُ مِنْ هذِهِ النَّباتاتِ الْمُعَلَّقَةِ ضَوْءَ الشَّمْسِ، كَيْ تَصْنَعَ طاقَةَ الغِذاءِ الكَرْبوهَيدْراتِيِّ.

الكْرِل، وَحَيَواناتُ الْمُحيطِ الأُخْرى».

أَرْدَفَتْ جُمانَةُ قائِلَةً: «هذِهِ كَمِّيَّةٌ كَبيرَةٌ مِنْ غِذاءِ السَّمَكِ!» وَاسْتَمَرَّتْ في التَّحْديقِ إِلى العَوالِقِ النَّباتِيَّةِ.

وافَقَتْها الآنِسَةُ فائِزَةُ بِقَوْلِها: «كَلامُكِ صَحيحٌ! فَالنَّباتاتُ الْمُعَلَّقَةُ مَسْؤولَةٌ عَنْ ٧٥ بِالْمِئَةِ مِنْ عَمَلِيَّةِ التَّمْثيلِ الضَّوْئِيِّ الَّتي تَحْدُثُ عَلى الأَرْضِ».

فَقُلْتُ: «إِنَّها لَمُهِمَّةٌ كَبيرَةٌ».

نَظَرَتْ رَنْدَةُ إِلى آخِرِ أَلْغازِ الأَغْذِيَةِ الغَريبَةِ، وَقالَتْ: «هذا صَحيحٌ يا أَنْوَرُ، وَهذا يَعْني أَنَّ «النَّباتاتِ الْمُعَلَّقَةَ» هِيَ الجَوابُ. فَهِيَ الحَلْقَةُ الأولى في مُعْظَمِ سَلاسِلِ الغِذاءِ الْمُحيطيَّةِ. وَعَلى الرَّغْمِ مِنْ أَنَّها صَغيرَةٌ جِدًّا، فَهِيَ تُؤَدّي عَمَلاً كَبيرًا!»

قالَتِ الآنِسَةُ فائِزَةُ: «هذا صَحيحٌ تَمامًا!»

وَبَعْدَ أَنْ كَتَبْتُ «النَّباتاتُ الْمُعَلَّقَةُ» في لائِحَةِ الأَلْغازِ، انْتَظَرْتُ أَنْ تَبْدَأَ جُمانَةُ تَباهيها بِأَنَّها هِيَ أَوَّلُ مَنْ يَعْرِفُ الأَجْوِبَةَ. وَلكِنَّها ظَلَّتْ تَنْظُرُ عَبْرَ نَوافِذِ الْحافِلَةِ السَّمَكَةِ العَجيبَةِ.

عِنْدَئِذٍ، قُلْتُ: «لَمْ يَبْقَ سِوَى لُغْزٍ واحِدٍ فَقَطْ!»

الأَغْذِيَةُ الغَريبَةُ – اللُّغْزُ السّادِسُ

إِنَّها تُحِبُّ بَقايا الأَطْعِمَةِ. فَهِيَ تُفَتِّتُ النَّباتاتِ، وَالحَيَواناتِ الْمَيْتَةَ إِلى مَوادَّ بَسيطَةٍ يَسْتَخْدِمُها النَّباتُ الحَيُّ في صِناعَةِ الْمَزيدِ مِنْ طاقَةِ الغِذاءِ الكَرْبوهَيدْراتِيِّ. وَهِيَ عِبارَةٌ عَنْ فِطْرِيّاتٍ، وَبَكْتيرْيا، وَديدانٍ، وَحَشَراتٍ. فَما هُوَ اسْمُها الآخَرُ؟

الجَوابُ: ____________________

وَبَيْنَما كُنّا نَقْرَأُ اللُّغْزَ، تَوَقَّفَ الْمُحَرِّكُ فَجْأَةً، وَقالَتِ الآنِسَةُ فائِزَةُ: «يَبْدو أَنَّ أَعْشابَ البَحْرِ عَلِقَتْ بِمِرْوَحَةِ المُحَرِّكِ. سَأَخْرُجُ حالاً لِأُفُكَّها».

وَسُرْعانَ ما كانَتْ مُعَلِّمَتُنا تَسْبَحُ خارِجًا وَهِيَ تَرْتَدي زِيَّ الغَطْسِ.

قالَتْ جُمانَةُ: «الْحافِلاتُ في مَدْرَسَتي لا تَتَشابَكُ مَراوِحُها وَأَعْشابَ البَحْرِ».

اِكْتَفَيْتُ بِالتَّأَوُّهِ، فيما حَنَتْ دانِيَةُ رَأْسَها ناحِيَتي، وَقالَتْ: «عَلى الأَقَلِّ، إِنَّها تَنْتَبِهُ لِكُلِّ شَيْءٍ الآنَ».

هُنا، قالَ كَريْمٌ فَجْأَةً: «أَعْتَقِدُ أَنَّهُ يَنْبَغي لَنا جَميعًا الانْتِباهُ لِهذا القِرْشِ!» وَأَشارَ مِنَ النّافِذَةِ إِلى فَمٍ مُمْتَلِئٍ بِأَسْنانٍ حادَّةٍ كَالسِّكّينِ.

اِسْتَغْرَقَ الأَمْرُ مِنّي لَحْظَةً كَيْ أُدْرِكَ أَنَّ هذِهِ الأَسْنانَ هِيَ لِقِرْشٍ ضَخْمٍ كانَ يَسْبَحُ بِاتِّجاهِ الآنِسَةِ فائِزَةَ، مُباشَرَةً!

الفَصْلُ الثّامِنُ

صَرَخْنا جَميعًا: «آنِسَةُ فائِزَةُ! حَذارِ!»

لَمْ تَرَ الآنِسَةُ فائِزَةُ سَمَكَةَ القِرْشِ، فَقَدْ كانَتْ مُنْهَمِكَةً بِانْتِزاعِ الأَعْشابِ البَحْرِيَّةِ الْمُلْتَفَّةِ حَوْلَ شِفارِ الْمِرْوَحَةِ. وَبِجَذْبَةٍ قَوِيَّةٍ واحِدَةٍ اسْتَطاعَتْ تَحْريرَ الْمِرْوَحَةِ. ثُمَّ سَمِعْتُ صَوْتَ الْمُحَرِّكِ يَدورُ ثانِيَةً، وَانْطَلَقَتِ الْحافِلَةُ السَّمَكَةُ إِلى الأَمامِ، في الْماءِ.

اِبْتَعَدْنا عَنْ سَمَكَةِ القِرْشِ، في اللَّحْظَةِ الحاسِمَةِ، فيما كانَتِ الآنِسَةُ فائِزَةُ مُمْسِكَةً بِزَعْنَفَةِ الْحافِلَةِ السَّمَكَةِ.

وَفي لَحْظَةٍ، اِنْقَضَّ القِرْشُ عَلى سَمَكَةِ قاروسَ، وَقَضَمَها بِأَسْنانِهِ قَضْمَةً قَوِيَّةً.

أَبْدَتْ فاتِنُ اشْمِئْزازَها مِنَ الْمَنْظَرِ، فيما طَفَتْ زَعانِفُ سَمَكَةِ القاروسِ، وَبَعْضُ القِطَعِ مِنْ لَحْمِها، في الْماءِ حَوْلَنا.

كانَتْ جُمانَةُ وَدانِيَةُ مُلْتَصِقَتَيْنِ بِالنَّوافِذِ.

وَمِنْ خِلالِ مُكَبِّرِ الصَّوْتِ الخاصِّ بِآلَةِ الحاكي، خاطَبَتْنا الآنِسَةُ فائِزَةُ، قائِلَةً: «أَيُّها التَّلامِذَةُ، لَمْ يَبْقَ سِوى لُغْزٍ واحِدٍ، وهذِهِ فُرْصَتُنا لِنَكْتَشِفَ كَيْفَ يَتِمُّ إِعادَةُ تَدْويرِ الطَّعامِ الحَيَوانِيِّ غَيْرِ الْمَأْكولِ». وَعِنْدَما نَظَرْنا إِلى الخارِجِ، رَأَيْناها تُشيرُ إِلى زَعانِفِ إِحْدى الأَسْماكِ، وَهِيَ تَسْقُطُ في مِياهِ الْمُحيطِ. ثُمَّ قالَتْ: «اِتْبَعوا هذِهِ الزَّعْنَفَةَ».

كانَتْ عِظَةُ قَدْ أَخَذَتْ مَكانَها أَمامَ عَجَلَةِ القِيادَةِ. فَلَحِقَتْ بِالزَّعْنَفَةِ نَحْوَ الأَعْماقِ، بَيْنَما كانَتِ الآنِسَةُ فائِزَةُ مُتَشَبِّثَةً بِالْحافِلَةِ السَّمَكَةِ مِنَ الخارِجِ. وَلَمْ نَتَوَقَّفْ إِلاّ بَعْدَ أَنْ رَسَتِ الزَّعْنَفَةُ في قاعِ الْمُحيطِ.

عَبَسَ وَجْهُ تامِرٍ عِنْدَ رُؤْيَتِهِ كُلَّ حَيَواناتِ البَحْرِ الْمَيْتَةِ، مُتَناثِرَةً حَوْلَ زَعْنَفَةِ القاروسِ، وَقالَ: «تَبْدو هذِهِ البَقايا راقِدَةً هُنا فَحَسْبُ، وَلا أَرى شَيْئًا يَقومُ بِتَفْتيتِها إِلى مَوادَّ بَسيطَةٍ، كَما يَقولُ اللُّغْزُ».

أَلْصَقَتْ جُمانَةُ أَنْفَها عَلى النّافِذَةِ، وَقالَتْ: «لا بُدَّ مِنْ أَنْ يَكونَ حَلُّ اللُّغْزِ مَوْجودًا هُناكَ، في الخارِجِ. مِنَ الْمُؤْسِفِ أَلاَّ نَسْتَطيعَ إِلْقاءَ نَظْرَةٍ عَنْ كَثَبٍ».

كانَتِ الآنِسَةُ فائِزَةُ قَدْ عادَتْ إلى داخِلِ الْحافِلَةِ، فَابْتَسَمَتْ لِجُمانَةَ، وَقالَتْ: «بَلْ نَسْتَطيعُ ذلِكَ!» ثُمَّ جَذَبَتْ رافِعَةً، وَإِذا بِمِجْهَرٍ كَبيرٍ يَبْرُزُ، مُتَدَلِّيًا فَوْقَ حاجِبِ الرِّيحِ الزُّجاجِيِّ.

قالَتْ رَشا: «يا لَلرَّوْعَةِ! إنَّ هذِهِ الزَّعْنَفَةَ تَبْدو ضَخْمَةً الآنَ!

لَقَدْ جَعَلَ هذا الْمِجْهَرُ الزَّعْنَفَةَ تَبْدو ضِعْفَ حَجْمِها أَلْفَ مَرَّةٍ، وَصارَ في مَقْدوري رُؤْيَةُ الْمَزيدِ مِنَ الأَشْياءِ، مِنْها: الحَلَزوناتُ الصَّغيرَةُ، وَالكُراتُ، وَالقُضْبانُ الَّتي تُغَطّي سَطْحَ الزَّعْنَفَةِ.

فَسَأَلْتُ: «ما هِيَ تِلْكَ الأَشْياءُ؟»

جاءَ تَوْضيحُ الآنِسَةِ فائِزَةَ سَريعًا: «تِلْكَ هِيَ البَكْتيرْيا، أَيُّها

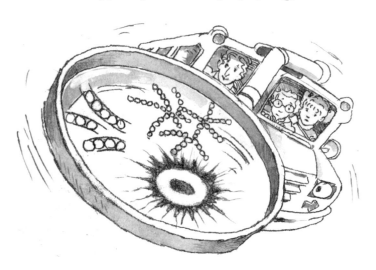

التَّلامِذَةُ. فَهِيَ مَخْلوقاتٌ حَيَّةٌ دَقيقَةٌ لا يُمْكِنُ رُؤْيَتُها بِالعَيْنِ الْمُجَرَّدَةِ، وَهِيَ تَقْتاتُ بِالحَيَواناتِ وَالنَّباتاتِ الْمَيْتَةِ».

وَأَشارَتْ دانِيَةُ قائِلَةً: «لَيْسَتِ هِيَ البَكْتيرْيا الوَحيدَةَ

عَنِ البَكْتيرْيا

بِقَلَمِ أَنْوَرٍ

عِنْدَما تَأْكُلُ البَكْتيرْيا النَّباتاتِ وَالحَيَواناتِ الْمَيْتَةَ، تُفَتِّتُها إِلى تُرابٍ يُساعِدُ النَّباتاتِ الجَديدَةَ عَلى النُّمُوِّ. وَفي هذِهِ العَمَلِيَّةِ، يَنْطَلِقُ غازُ ثاني أُكْسيدِ الكَرْبونِ، فَتَمْتَصُّهُ النَّباتاتُ الحَيَّةُ لِصُنْعِ الْمَزيدِ مِنْ طاقَةِ الكَرْبوهَيْدْراتِ. ثُمَّ تَأْكُلُ الحَيَواناتُ هذِهِ النَّباتاتِ، فَتَحْصُلُ عَلى تِلْكَ الطّاقَةِ. وَتُسَمّى هذِهِ العَمَلِيَّةُ «دَوْرَةَ الحَياةِ».

الَّتي تُفَتِّتُ النَّباتاتِ وَالحَيَواناتِ. فَالفِطْرِيّاتُ وَالدّيدانُ تَفْعَلُ الأَمْرَ ذاتَهُ».

وَأَضافَتْ جُمانَةُ: «وَكَذلِكَ تَفْعَلُ الحَشَراتُ الصَّغيرَةُ، كَالنَّمْلِ، وَالخَنافِسِ....

لَقَدْ قَرَأْتُ عَنْها في مَوْسوعَتي قَبْلَ أَنْ تَخْتَفِيَ. وَأَعْتَقِدُ أَنَّ ثَمَّةَ اسْمًا خاصًّا لِلْكائِناتِ الحَيَّةِ الَّتي تُفَتِّتُ الحَيَواناتِ

وَالنَّباتاتِ الْمَيْتَةَ...» ثُمَّ راحَتْ تُطَقْطِقُ أَصابِعَها وَهِيَ تُحاوِلُ أَنْ تَتَذَكَّرَ.

وَعَقَّبَتْ دانِيَةُ، قائِلَةً: «لَقَدْ قَرَأْتُ ذلِكَ أَيْضًا، إِنَّها تُدْعى...» وَراحَتْ تَعَضُّ شَفَتَها، مُحاوِلَةً أَنْ تَتَذَكَّرَ، هِيَ الأُخْرى.

وَفي لَحْظَةٍ واحِدَةٍ، صاحَتْ كُلٌّ مِنْ دانِيَةَ وَجُمانَةَ بِصَوْتٍ واحِدٍ: «الكائِناتُ الْمُحَلِّلَةُ!»

نَظَرَتْ رَنْدَةُ إِلى لائِحَةِ الأَلْغازِ، وَصاحَتْ: «أَحْسَنْتُما، أَيَّتُها الرَّفيقَتانِ! تِلْكَ هِيَ الإِجابَةُ عَنِ اللُّغْزِ الأَخيرِ – الكائِناتُ الْمُحَلِّلَةُ!»

كَلِمَةٌ مِنْ أَنْوَرٍ

كَلِمَةُ «يُحَلِّلُ» تَعْني «يُفَتِّتُ أَشْياءَ إِلى مَوادَّ أَبْسَطَ». وَالكائِناتُ الْمُحَلِّلَةُ، كَالبكْتيرْيا وَالفِطْرِيّاتِ وَالدّيدانِ، تُساعِدُ عَلى إِعادَةِ تَدْويرِ ثاني أُكْسيدِ الكَرْبونِ في الهَواءِ، وَالْمَوادِّ الْمُغَذِّيَةِ في التُّرْبَةِ، فَتَتَمَكَّنُ النَّباتاتُ مِنَ اسْتِخْدامِها لِصِناعَةِ الْمَزيدِ مِنَ الكَرْبوهَيْدراتِ.

وَبِفَرَحٍ كَبيرٍ، قُلْتُ: «نَعَمْ! لَقَدْ نَجَحْنا! فَقَدْ وَجَدْنا أَجْوِبَةَ كُلِّ أَلْغازِ الأَغْذِيَةِ الغَريبَةِ، حَتّى مِنْ دونِ أَنْ نَذْهَبَ إِلى الْمُتْحَفِ».

هَلْ تَعْرِفونَ ما هُوَ الأَمْرُ الأَفْضَلُ مِنْ كُلِّ ذلِكَ؟ لَقَدْ تَبادَلَتْ دانِيَةُ وَجُمانَةُ الابْتِساماتِ، وَصَفَّقَتا كَفَّيْهِما مَعًا، بَيْنَما كانَتْ رَنْدَةُ تَكْتُبُ الجَوابَ.

ثُمَّ أَضافَتْ فاتِنُ قائِلَةً: «زِدْ عَلى ذلِكَ، فَقَدْ نَجَحْنا في الإِفْلاتِ مِنَ الأَرْنَبِ، وَالثُّعْبانِ، وَالصَّقْرِ، وَالقِرْشِ».

نَظَرْنا خارِجَ نَوافِذِ الْحافِلَةِ السَّمَكَةِ العَجيبَةِ. لَمْ يَكُنْ أَمامَنا إِلاّ سَحابَةٌ مِنْ أَسْماكِ القُرَيْدِسِ الصَّغيرَةِ أَوِ «الكرِلِ»... عِنْدَئِذٍ، شَعَرْنا بِالأَمانِ!

فَقُلْتُ: «يَبْدو أَنَّنا قَدْ نَخْرُجُ مِنْ هذِهِ الرِّحْلَةِ الاسْتِطْلاعِيَّةِ سالِمينَ، بَعْدَ كُلِّ ما حَدَثَ».

هُنا، قالَتْ جُمانَةُ: «حَقًّا؟ اُنْظُرْ مَرَّةً أُخْرى، يا أَنْوَرُ!» وَأَشارَتْ إِلى الخَلْفِ.

كانَتْ تِلْكَ هِيَ اللَّحْظَةُ الَّتي رَأَيْتُ فيها الْحوتَ.

الفَصْلُ التّاسِعُ

كانَ الحوتُ مِنَ الضَّخامَةِ، بِحَيْثُ بَدا كَأَنَّهُ يَمْلأُ الْمُحيطَ بِأَكْمَلِهِ!

أَخَذَ يَسْبَحُ نَحْوَنا. وَعِنْدَما باتَ أَقْرَبَ إِلَيْنا، صَرَخَ رائِفٌ: «يَجِبُ أَنْ نَسْبَحَ بَعيدًا، وَبِسُرْعَةٍ».

وَلكِنْ، هذِهِ الْمَرَّةَ، لَمْ تَكُنْ الآنِسَةُ فائِزَةُ سَريعَةً بِما يَكْفي. فَقَبْلَ أَنْ نُدْرِكَ الأَمْرَ، كانَتِ الْحافِلَةُ السَّمَكَةُ العَجيبَةُ قَدِ انْدَفَعَتْ بِقُوَّةٍ داخِلَ فَمِ الحوتِ الْهائِلِ.

صَرَخْتُ قائِلاً: «لا... لا... لَقَدِ ابْتَلَعَنا أَكْبَرُ الحَيَواناتِ الْمُفْتَرِسَةِ!»

هُنا، قالَتِ الآنِسَةُ فائِزَةُ : «حيتانُ «البَلينِ» قَدْ تَكونُ كَبيرَةَ الْحَجْمِ، وَلكِنَّها أَلْطَفُ الحَيَواناتِ اللاّحِمَةِ في البَحْرِ».

نَظَرْنا إِلى سَمَكِ القُرَيْدِسِ الصَّغيرِ الَّذي كانَ يَسْبَحُ حَوْلَنا في فَمِ الحوتِ، فَرَأَيْنا الْمَلايينَ مِنْهُ.

قالَ كَريْمٌ: «تَتَفَوَّقُ حيتانُ «البَلينِ» عَلى غَيْرِها حَجْمًا لا مَرْتَبةً في سِلْسِلَةِ الغِذاءِ».

فَقُلْتُ، مُعَلِّقًا: «هذا عَظيمٌ، طالَما أَنَّنا لَسْنا جُزْءًا مِنْ سِلْسِلَةِ الغِذاءِ تِلْكَ!»

لكِنْ، وَكَما كانَ جَلِيًّا، كُنّا عاجِزينَ عَنْ فِعْلِ أَيِّ شَيْءٍ. كانَ فَمُ الْحوتِ يُطْبِقُ، وَالْمِياهُ تَنْدَفِعُ خارِجَةً مِنْهُ. وَكانَ سَمَكُ القُرَيْدِسِ الصَّغيرُ يَقَعُ أَسيرَ ما يَشْبِهُ سِتارَةً عِمْلاقَةً في أَعْلى فَمِ الحوتِ.

عادَتِ الآنِسَةُ فائِزَةُ إِلى التَّدَخُّلِ لِلتَّوْضيحِ، فَقالَتْ: «هذِهِ السِّتارَةُ مَصْنوعَةٌ مِنْ عِظامِ الفَكِّ العُلْوِيِّ. وَهِيَ تَقومُ بِتَصْفِيَةِ القُرَيدِسِ الصَّغيرِ حَتّى يَسْتَطيعَ الحوتُ ابْتِلاعَه».

وَإِذا بِفاتِنَ تَسْأَلُ: «وَماذا عَنّا؟ إِنَّنا سُجَناءُ أَيْضًا، وَسَوْفَ

العَمالِقَةُ الوَديعَةُ

بِقَلَمِ رَنْدَة

تَتَغَذّى حيتانُ «البَلينِ» (ذاتُ العِظامِ في فَكِّها العُلْوِيِّ) بِالقُرَيْدِسِ الصَّغيرِ الْمُتَوافِرِ بِأَعْدادٍ هائِلَةٍ، بِحَيْثُ لا تُضْطَرُّ الْحيتانُ إلى مُطارَدَتِهِ. فَهِيَ تَحْصُلُ عَلى كِفايَتِها مِنْهُ، بِمُجَرَّدِ السِّباحَةِ، وَسَطَ الْماءِ، وَأَفْواهُها مَفْتوحَةٌ! وَلِهذِهِ الحيتانِ نَمَطٌ في الأَكْلِ يُشْبِهُ نَمَطَ الْحَيواناتِ العاشِبَةِ الَّتي تَقتاتُ الطَّعامَ الْمُحيطَ بِها، بَدَلاً مِنْ السَّعْيِ وَراءَهُ.

يَبْتَلِعُنا الحوتُ».

فَقالَتِ الآنِسَةُ فائِزَةُ: «لَيسَ بِالضَّرورَةِ، أَظُنُّ أَنَّنا تَعَلَّمْنا كُلَّ ما نَسْتَطيعُ تَعَلُّمَهُ هُنا».

ثُمَّ ضَغَطَتْ عَلى أَحَدِ الأَزْرارِ. وَما حَصَلَ بَعْدَ ذلِكَ، هُوَ أَنَّ مُحَرِّكَ الْحافِلَةِ السَّمَكَةِ العَجيبَةِ بَدَأَ يَعْمَلُ. وَبَدَلاً مِنْ أَنْ نُواكِبَ وُجْهَةَ سَيْرِ القُرَيْدِسِ، ذَهَبْنا في الاتِّجاهِ الْمُعاكِسِ.

وَاسْتَطْرَدَتِ الآنِسَةُ فائِزَةُ تَقولُ: «بَيْنَما يَذْهَبُ ذلِكَ القُرَيْدِسُ إِلى حَلْقِ الحوتِ، سَنَتَّجِهُ نَحْنُ إِلى الخارِجِ...الْخارِجِ...الْخارِجِ!»

فَقُلْتُ: «ماذا؟» لَمْ أَكُنْ أَعْتَقِدُ أَنَّ الأَمْرَ في مُنْتَهى هذِهِ السُّهولَةِ. وَلكِنْ، وَمَعَ ازْدِيادِ دَورانِ الْمُحَرِّكِ، أَصْبَحْنا خارِجَ فَمِ الحوتِ. وَشَعَرْتُ بِالارْتِياحِ الشَّديدِ وَنَحْنُ نَسْبَحُ إِلى أَعْلى، مُتَجاوِزينَ رَأْسَ الحوتِ الضَّخْمِ. لَقَدْ نَجَوْنا مِنَ الالْتِهامِ.

في هذِهِ اللَّحْظَةِ، بَدَأَ الحوتُ يَتَحَرَّكُ بِاتِّجاهِ السَّطْحِ، حامِلاً حافِلَتَنا عَلى ظَهْرِهِ. وَما إِنْ أَطَلَّ بِرَأْسِهِ خارِجَ الْماءِ، حَتّى أَمْكَنَنا رُؤْيَةُ سَطْحِ مِياهِ الْمُحيطِ، عَلى مَسافَةِ أَمْيالٍ.

عِنْدَها، لاحَظْتُ أَنَّ الْحافِلَةَ الْمَدْرَسِيَّةَ الْعَجيبَةَ قَدْ عادَتْ إِلى شَكْلِها الطَّبيعِيِّ، وَهِيَ تَرْبِضُ فَوْقَ ظَهْرِ حوتٍ، وَسَطَ الْمُحيطِ.

كانَ الجَميعُ يُحَدِّقُ مِنَ النَّوافِذِ، عِنْدَما تَساءَلَتْ رَنْدَةُ قائِلَةً: «ما هذا الصَّوْتُ؟»

لَقَدْ سَمِعْتُهُ أَنا أَيْضًا. كانَ صَوْتَ قَعْقَعَةٍ مُنْخَفِضَةٍ، ثُمَّ بَدَأَتِ الْحافِلَةُ بِالاهْتِزازِ. رَأَيْتُ عَمودًا مِنَ الْمِياهِ يَنْدَفِعُ مِنْ تَحْتِنا، وَإِذا بِالْحافِلَةِ تَنْطَلِقُ بِقُوَّةٍ نَحْوَ الفَضاءِ.

صاحَتْ فاتِنُ: «إِنَّنا عَلى أَحَدِ مِنْخَرَيِ الحوتِ!»

فَصَرَخْتُ: «يا لَلْهَوْلِ!»

كُنّا مُحاطينَ بِدَفْقٍ مِنْ بُخارِ الْماءِ، فيما كُنّا نَرْتَفِعُ إِلى أَعْلى.

وَوَسْطَ هذِهِ الغُيومِ الرَّطْبَةِ، اِسْتَطَعْتُ رُؤْيَةَ الْحافِلَةِ، وَهِيَ تُنْبِتُ أَجْنِحَةً.

كانَتْ جُمانَةُ، خِلالَ كُلِّ هذا الوَقْتِ، تُحَدِّقُ إِلى الخارِجِ، مِنْ خِلالِ النّافِذَةِ فاغِرَةً فاها. وَبَعْدَ أَنْ هَبَطْنا بِقُوَّةٍ، هَتَفَتْ بِصَوْتٍ عالٍ: «إِنَّنا في مَوْقِفِ السَّيّاراتِ التّابِعِ لِمُتْحَفِ العُلومِ».

لَمْ أَسْتَطِعْ أَنْ أُصَدِّقَ عَيْنَيَّ. لَقَدْ عادَتِ الْحافِلَةُ الْمَدْرَسِيَّةُ العَجيبَةُ إِلى حَجْمِها الْمُعْتادِ مِنْ دونِ أَجْنِحَةٍ، وَمِنْ دونِ مَقْهى «اللُّقْمَةِ الشَّهِيَّةِ». لَمْ يَكُنْ ثَمَّةَ مُحيطٌ عَلى مَدى أَبْصارِنا. فَقَطْ بَحْرٌ مِنَ الْحافِلاتِ الْمَدْرَسِيَّةِ، وَمَرْكَزُ العُلومِ، بِبِنائِهِ الكَبيرِ.

طَرَفَتْ عَيْنا جُمانَةَ، وَهِيَ تَقولُ: «يا لَلْعَجَبِ! لَمْ أَقْرَأْ شَيْئًا

عَنْ مِثْلِ ذلِكَ في كِتابي العِلْميِّ».

فَعَلَّقَ تامِرٌ قائِلاً: «عَلى ذِكْرِ كُتُبِ العُلومِ، اُنْظُري ما وَجَدْتُ لِتوّي».

ثُمَّ انْحَنى، وَالْتَقَطَ كِتابَيْنِ ثَقيلَيْنِ عَنِ الأَرْضِ، في مُؤَخَّرَةِ الْحافِلَةِ.

قالَتْ دانِيَةُ وَجُمانَةُ بِصَوْتٍ واحِدٍ: «كِتابي!»

نَزَلْنا جَميعُنا مِنَ الْحافِلَةِ العَجيبَةِ، في الوَقْتِ الَّذي رَأَيْنا فيهِ تَلامِذَةَ الأُسْتاذِ ناظِمٍ يُغادِرُونَ مَرْكَزَ العُلومِ. فَرَكَضوا نَحْوَنا، وَكانوا جَميعًا يَتَكَلَّمونَ في وَقْتٍ واحِدٍ:

- ماذا حَدَثَ؟

- لَقَدْ فاتَتْكُمُ الجَوْلَةُ بِأَكْمَلِها!

- لَقَدْ كانَتْ مُدْهِشَةً، فَقَدْ تَعَلَّمْنا كُلَّ شَيْءٍ عَنْ سَلاسِلِ الغِذاءِ!

هُنا، نَظَرَتْ إِلَيْهِمْ دانِيَةُ، وَابْتَسَمَتْ، ثُمَّ قالَتْ وَهِيَ تُمْسِكُ بِوَرَقَةٍ: «كَذلِكَ نَحْنُ. لَقَدْ تَعَلَّمْنا جَميعًا كُلَّ ما يَتَّصِلُ بِسَلاسِلِ الغِذاءِ!» ثُمَّ نَظَرَتْ إِلى جُمانَةَ راسِمَةً إِشارَةَ النَّصْرِ بِأَصابِعِها.

حينَذاكَ، لاحَظْنا أَنَّ لائِحَةَ أَلْغازِ الأَغْذِيَةِ الغَريبَةِ قَدِ اخْتَفَتْ،

...وَكانَ الحوتُ
بِهذِهِ الضَّخامَةِ!

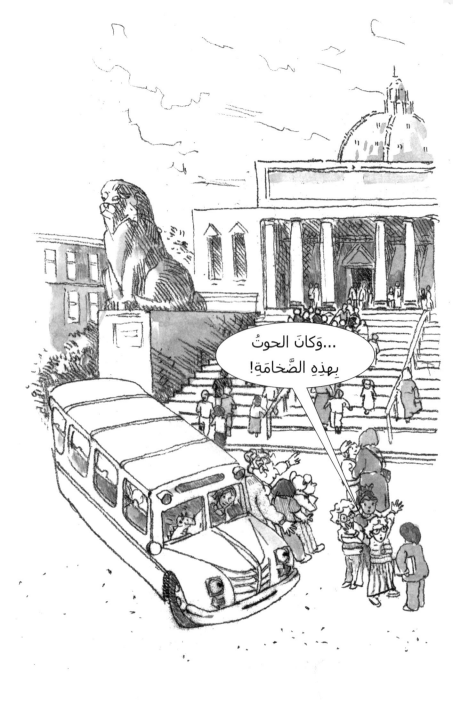

وَبَدَلاً مِنها، كانَ كُلٌّ مِنّا يُمْسِكُ بِنُسْخَةٍ وَرَقِيَّةٍ مِنَ الأَلْغازِ، وَفيها كُلُّ الإِجاباتِ.

كانَ الأُسْتاذُ ناظِمٌ قَدْ وَصَلَ إِلى مَكانِ تَجَمُّعِنا، فَسَأَلَ: «وَلكِنْ، يا أَوْلادُ...! كَيْفَ أَجَبْتُمْ عَنْ كُلِّ أَلْغازِ الأَغْذِيَةِ الغَريبَةِ؟ فَأَنا لَمْ أَقُمْ بِتَوْزيعِها، إِلاّ بَعْدَ أَنْ وَصَلْنا إِلى الْمُتْحَفِ».

وَنَظَرَ بِفُضولٍ إِلى الآنِسَةِ فائِزَةَ.

لكِنَّ الآنِسَةَ فائِزَةَ ابْتَسَمَتِ ابْتِسامَةً غامِضَةً، وَقالَتْ: «لَنْ تَحْتاجَ إِلى زِيارَةِ الْمُتْحَفِ، لِتُحَصِّلَ الْمَعارِفَ!»

دَنَتْ رَنْدَةُ مِنْ جُمانَةَ، وَمِنّي، وَهَمَسَتْ: «أَعْتَقِدُ أَنَّ هذِهِ هِيَ طَريقَةُ الآنِسَةِ فائِزَةَ عِنْدَما تُريدُ أَنْ تَقولَ إِنَّنا كُنّا على وَشْكِ أَنْ نُؤْكَلَ أَحْياءَ، مَرّاتٍ لا تُحْصى!»

عِنْدَئِذٍ، باشَرَتْ جُمانَةُ الكَلامَ: «في مَدْرَسَتي....»

وَهُنا، شَعَرْتُ بِأَنَّني عاجِزٌ عَنْ تَحَمُّلِ الْمَزيدِ مِنَ التَّباهي!

لكِنَّ جُمانَةَ أَكْمَلَت كَلامَها قائِلَةً: «لَيْسَ ثَمَّةَ شَخْصٌ بِحَماسَةِ الآنِسَةِ فائِزَةَ وَرَوْعَتِها».

لَمْ أَتَمالَكْ نَفْسي عَنِ ابْتِسامَةٍ عَريضَةٍ، وَقُلْتُ لَها: «لا شَكَّ في ذلِكَ... إِنَّ الآنِسَةَ فائِزَةَ فَريدَةٌ مِنْ نَوْعِها».